T3-BHV-227

Анна Ахматова

•

Избранное

Золотая серия поэзии

Анна Ахматова

Избранное

•

2015

УДК 82-1
ББК 84(2Рос-Рус)6-5
А 95

*Лучшие стихотворения прошлого и настоящего –
в «Золотой серии поэзии»*

Серия основана в 2001 году

Оформление *А. Новикова, Е. Ененко*

В оформлении обложки использованы репродукция картины
Делла-Вос-Кардовской О. Л. «Портрет Анны Ахматовой», 1914 г.,
репродукция рисунка Верейского Г. С.
«Портрет А. А. Ахматовой», 1929 г.

Ахматова А. А.

А 95 Избранное / Анна Ахматова. – М. : Эксмо, 2015. – 352 с.

ISBN 978-5-699-08589-7

Книга избранных произведений Ахматовой рассчитана на широкий круг ревнителей отечественной культуры, на всех тех, кто помнит и чтит ее завет: «Но мы сохраним тебя, русская речь, великое русское слово».

УДК 82-1
ББК 84(2Рос-Рус)6-5

ISBN 978-5-699-08589-7

А юность была как молитва воскресная

ЛЮБОВЬ

То змейкой, свернувшись клубком,
У самого сердца колдует,
То целые дни голубком
На белом окошке воркует,

То в инее ярком блеснет,
Почудится в дреме левкоя...
Но верно и тайно ведет
От радости и от покоя.

Умеет так сладко рыдать
В молитве тоскующей скрипки,
И страшно ее угадать
В еще незнакомой улыбке.

1911

В ЦАРСКОМ СЕЛЕ

1

По аллее проводят лошадок,
Длинны волны расчесанных грив.
О пленительный город загадок,
Я печальна, тебя полюбив.

Странно вспомнить! Душа тосковала,
Задыхалась в предсмертном бреду,

А теперь я игрушечной стала,
Как мой розовый друг какаду.

Грудь предчувствием боли не сжата,
Если хочешь — в глаза погляди,
Не люблю только час пред закатом,
Ветер с моря и слово «уйди».

2

...А там мой мраморный двойник,
Поверженный под старым кленом,
Озерным водам отдал лик,
Внимает шорохам зеленым.

И моют светлые дожди
Его запекшуюся рану...
Холодный, белый, подожди,
Я тоже мраморною стану.

3

Смуглый отрок бродил по аллеям
У озерных глухих берегов.
И столетие мы лелеем
Еле слышный шелест шагов.

Иглы сосен густо и колко
Устилают низкие пни...
Здесь лежала его треуголка
И растрепанный том Парни.

1911

* * *

И мальчик, что играет на волынке,
И девочка, что свой плетет венок,

И две в лесу скрестившихся тропинки,
И в дальнем поле дальний огонек, —

Я вижу все. Я все запоминаю,
Любовно-кротко в сердце берегу,
Лишь одного я никогда не знаю
И даже вспомнить больше не могу.

Я не прошу ни мудрости, ни силы,
О только дайте греться у огня.
Мне холодно! Крылатый иль бескрылый,
Веселый бог не посетит меня.

1911

* * *

Любовь покоряет обманно
Напевом простым, неискусным.
Еще так недавно-странно
Ты не был седым и грустным.

И когда она улыбалась
В садах твоих, в доме, в поле,
Повсюду тебе казалось,
Что вольный ты и на воле.

Был светел ты, взятый ею
И пивший ее отравы.
Ведь звезды были крупнее,
Ведь пахли иначе травы.
Осенние травы.

* * *

Сжала руки под темной вуалью...
«Отчего ты сегодня бледна?»

— Оттого что я терпкой печалью
Напоила его допьяна.

Как забуду? Он вышел, шатаясь,
Искривился мучительно рот,
Я сбежала, перил не касаясь,
Я бежала за ним до ворот.

Задыхаясь, я крикнула: «Шутка
Все, что было. Уйдешь, я умру».
Улыбнулся спокойно и жутко
И сказал мне: «Не стой на ветру».

1911

* * *

Память о солнце в сердце слабеет,
Желтей трава,
Ветер снежинками ранними веет
Едва-едва.

Ива на небе пустом распластала
Веер сквозной.
Может быть, лучше, что я не стала
Вашей женой.

Память о солнце в сердце слабеет,
Что это? Тьма?
Может быть! За ночь прийти успеет
Зима.

1911

* * *

Высоко в небе облачко серело,
Как беличья расстеленная шкурка.

Он мне сказал: «Не жаль, что ваше тело
Растает в марте, хрупкая Снегурка!»

В пушистой муфте руки холодели.
Мне стало страшно, стало как-то смутно.
О как вернуть вас, быстрые недели
Его любви, воздушной и минутной!

Я не хочу ни горечи, ни мщенья,
Пускай умру с последней белой вьюгой,
О нем гадала я в канун Крещенья.
Я в январе была его подругой.

1911

* * *

Дверь полуоткрыта,
Веют липы сладко...
На столе забыты
Хлыстик и перчатка.

Круг от лампы желтый...
Шорохам внимаю.
Отчего ушел ты?
Я не понимаю...

Радостно и ясно
Завтра будет утро.
Эта жизнь прекрасна,
Сердце, будь же мудро.

Ты совсем устало,
Бьешься тише, глуше...
Знаешь, я читала,
Что бессмертны души.

1911

* * *

...Хочешь знать, как все это было? —
Три в столовой пробило,
И прощаясь, держась за перила,

Она словно с трудом говорила:
«Это все, ах нет, я забыла,
Я люблю Вас, я Вас любила
Еще тогда!»
«Да?!»

1910

ПЕСНЯ ПОСЛЕДНЕЙ ВСТРЕЧИ

Так беспомощно грудь холодела,
Но шаги мои были легки,
Я на правую руку надела
Перчатку с левой руки.

Показалось, что много ступеней,
А я знала — их только три!
Между кленов шепот осенний
Попросил: «Со мною умри!

Я обманут моей унылой,
Переменчивой злой судьбой».
Я ответила: «Милый, милый!
И я тоже. Умру с тобой...»

Это песня последней встречи.
Я взглянула на темный дом.
Только в спальне горели свечи
Равнодушно-желтым огнем.

1911

* * *

Как соломинкой, пьешь мою душу.
Знаю, вкус ее горек и хмелен,
Но я пытку мольбой не нарушу,
О, покой мой многонеделен.

Когда кончишь, скажи. Не печально,
Что души моей нет на свете,
Я пойду дорогой недальней
Посмотреть, как играют дети.

На кустах зацветает крыжовник,
И везут кирпичи за оградой.
Кто ты: брат мой или любовник,
Я не помню, и помнить не надо.

Как светло здесь и как бесприютно,
Отдыхает усталое тело...
А прохожие думают смутно:
Верно, только вчера овдовела.

1911

* * *

Я сошла с ума, о мальчик странный,
В среду, в три часа!
Уколола палец безымянный
Мне звенящая оса.

Я ее нечаянно прижала,
И казалось, умерла она,
Но конец отравленного жала
Был острей веретена.

О тебе ли я заплачу, странном,
Улыбнется ль мне твое лицо?
Посмотри! На пальце безымянном
Так красиво гладкое кольцо.

1911

* * *

Мне больше ног моих не надо,
Пусть превратятся в рыбий хвост!
Плыву, и радостна прохлада,
Белеет тускло дальний мост.

Не надо мне души покорной,
Пусть станет дымом, легок дым,
Взлетев над набережной пеной,
Он будет нежно-голубым.

Смотри, как глубоко ныряю,
Держусь за водоросль рукой,
Ничьих я слов не повторяю
И не пленюсь ничьей тоской...

А ты, мой дальний, неужели
Стал бледен и печально-нем?
Что слышу? Целых три недели
Все шепчешь: «Бедная, зачем?!»

1911

ОБМАН

М.А. Горенко

1

Весенним солнцем это утро пьяно,
И на террасе запах роз слышней,
А небо ярче синего фаянса.
Тетрадь в обложке мягкого сафьяна;
Читаю в ней элегии и стансы,
Написанные бабушке моей.

Дорогу вижу до ворот, и тумбы
Белеют четко в изумрудном дерне,

О, сердце любит сладостно и слепо!
И радуют изысканные клумбы,
И резкий крик вороны в небе черной,
И в глубине аллеи арка склепа.

2

Жарко веет ветер душный,
Солнце руки обожгло,
Надо мною свод воздушный,
Словно синее стекло;

Сухо пахнут иммортели
В разметавшейся косе.
На стволе корявой ели
Муравьиное шоссе.

Пруд лениво серебрится,
Жизнь по-новому легка...
Кто сегодня мне приснится
В пестрой сетке гамака?

3

Синий вечер. Ветры кротко стихли,
Яркий свет зовет меня домой.
Я гадаю: кто там? — не жених ли,
Не жених ли это мой?..

На террасе силуэт знакомый,
Еле слышен тихий разговор.
О, такой пленительной истомы
Я не знала до сих пор.

Тополя тревожно прошуршали,
Нежные их посетили сны,

Небо цвета вороненой стали,
Звезды матово-бледны.

Я несу букет левкоев белых,
Для того в них тайный скрыт огонь,
Кто, беря цветы из рук несмелых,
Тронет теплую ладонь.

4

Я написала слова,
Что долго сказать не смела.
Тупо болит голова,
Странно немеет тело.

Смолк отдаленный рожок,
В сердце все те же загадки,
Легкий осенний снежок
Лег на крокетной площадке.

Листьям последним шуршать!
Мыслям последним томиться!
Я не хотела мешать
Тому, кто привык веселиться.

Милым простила губам
Я их жестокую шутку...
О, Вы придете к нам
Завтра по первопутку.

Свечи в гостиной зажгут,
Днем их мерцанье нежнее,
Целый букет принесут
Роз из оранжереи.

1910

* * *

Мне с тобою пьяным весело —
Смысла нет в твоих рассказах.
Осень ранняя развесила
Флаги желтые на вязах.

Оба мы в страну обманную
Забрели и горько каемся,
Но зачем улыбкой странною
И застывшей улыбаемся?

Мы хотели муки жалящей
Вместо счастья безмятежного...
Не покину я товарища,
И беспутного, и нежного.

1911

* * *

Муж хлестал меня узорчатым,
Вдвое сложенным ремнем.
Для тебя в окошке створчатом
Я всю ночь сижу с огнем.

Рассветает. И над кузницей
Подымается дымок.
Ах, со мной, печальной узницей,
Ты опять побыть не мог.

Для тебя я долю хмурую,
Долю-муку приняла.
Или любишь белокурую,
Или рыжая мила?

Как мне скрыть вас, стоны звонкие!
В сердце темный душный хмель;
А лучи ложатся тонкие
На несмятую постель.

1911

* * *

Сердце к сердцу не приковано,
Если хочешь — уходи.
Много счастья уготовано
Тем, кто волен на пути.

Я не плачу, я не жалуюсь,
Мне счастливой не бывать!
Не целуй меня, усталую, —
Смерть придет поцеловать.

Дни томлений острых прожиты
Вместе с белою зимой...
Отчего же, отчего же ты
Лучше, чем избранник мой.

1911

ПЕСЕНКА

Я на солнечном восходе
Про любовь пою,
На коленях в огороде
Лебеду полю.

Вырываю и бросаю —
(Пусть простит меня),
Вижу, девочка босая
Плачет у плетня.

Страшно мне от звонких воплей
Голоса беды,
Все сильнее запах теплый
Мертвой лебеды.

Будет камень вместо хлеба
Мне наградой злой.
Надо мною только небо,
А со мною голос твой.

1911

* * *

Я пришла сюда, бездельница,
Все равно мне, где скучать!
На пригорке дремлет мельница.
Годы можно здесь молчать.

Над засохшей повиликою
Мягко плавает пчела,
У пруда русалку кликаю,
А русалка умерла.

Затянулся ржавой тиною
Пруд широкий, обмелел.
Над трепещущей осиною
Легкий месяц заблестел.

Замечаю все как новое,
Влажно пахнут тополя.
Я молчу. Молчу, готовая
Снова стать тобой, земля.

1911

БЕЛОЙ НОЧЬЮ

Ах, дверь не запирала я,
Не зажигала свеч,
Не знаешь, как, усталая,
Я не решалась лечь.

Смотреть, как гаснут полосы
В закатном мраке хвой,
Пьянея звуком голоса,
Похожего на твой.

И знать, что все потеряно,
Что жизнь — проклятый ад!
О, я была уверена,
Что ты придешь назад.

1911

* * *

Под навесом темной риги жарко,
Я смеюсь, а в сердце злобно плачу.
Старый друг бормочет мне: «Не каркай!
Мы ль не встретим на пути удачу!»

Но я другу старому не верю,
Он смешной, незрячий и убогий,
Он всю жизнь свою шагами мерил
Длинные и скучные дороги.

И звенит, звенит мой голос ломкий,
Звонкий голос не узнавших счастья:
«Ах, пусты дорожные котомки,
А назавтра голод и ненастье!»

1911

* * *

Хорони, хорони меня, ветер!
Родные мои не пришли,
Надо мною блуждающий вечер
И дыханье тихой земли.

Я была, как и ты, свободной,
Но я слишком хотела жить.
Видишь, ветер, мой труп холодный,
И некому руки сложить.

Закрой эту черную рану
Покровом вечерней тьмы
И вели голубому туману
Надо мною читать псалмы.

Чтобы мне легко, одинокой,
Отойти к последнему сну,
Прошуми высокой осокой
Про весну, про мою весну.

1909

* * *

Ты поверь, не змеиное острое жало,
А тоска мою выпила кровь.
В белом поле я тихою девушкой стала,
Птичьим голосом кличу любовь.

И давно мне закрыта дорога иная,
Мой царевич в высоком кремле.
Обману ли его, обману ли? — Не знаю.
Только ложью живу на земле.

Не забыть, как пришел он со мною
проститься:
Я не плакала; это судьба.

Ворожу, чтоб царевичу ночью
присниться,
Но бессильна моя ворожба.

Оттого ль его сон безмятежен и мирен,
Что я здесь у закрытых ворот,
Иль уже светлоокая, нежная Сирин
Над царевичем песню поет?

1912

МУЗЕ

Муза-сестра заглянула в лицо,
Взгляд ее ясен и ярок.
И отняла золотое кольцо,
Первый весенний подарок.

Муза! ты видишь, как счастливы все —
Девушки, женщины, вдовы.
Лучше погибну на колесе,
Только не эти оковы.

Знаю: гадая, и мне обрывать
Нежный цветок маргаритку.
Должен на этой земле испытать
Каждый любовную пытку.

Жгу до зари на окошке свечу
И ни о ком не тоскую,
Но не хочу, не хочу, не хочу
Знать, как целуют другую.

Завтра мне скажут, смеясь, зеркала:
«Взор твой не ясен, не ярок...»
Тихо отвечу: «Она отняла
Божий подарок».

1911

АЛИСА

1

Всё тоскует о забытом,
О своем весеннем сне,
Как Пьеретта о разбитом
Золотистом кувшине...

Все осколочки собрала,
Не умела их сложить...
«Если б ты, Алиса, знала,
Как мне скучно, скучно жить!

Я за ужином зеваю,
Забываю есть и пить,
Ты поверишь, забываю
Даже брови подводить.

О Алиса! дай мне средство,
Чтоб вернуть его опять;
Хочешь, все мое наследство,
Дом и платья можешь взять.

Он приснился мне в короне,
Я боюсь моих ночей!»
У Алисы в медальоне
Темный локон — знаешь чей?!

2

«Как поздно! Устала, зеваю...»
«Миньона, спокойно лежи,
Я рыжий парик завиваю
Для стройной моей госпожи.

Он будет весь в лентах зеленых,
А сбоку жемчужный аграф;
Читала записку: «У клена
Я жду вас, таинственный граф!»

Сумеет под кружевом маски
Лукавая смех заглушить,
Велела мне даже подвязки
Сегодня она надушить».

Луч утра на черное платье
Скользнул, из окошка упав...
«Он мне открывает объятья
Под кленом, таинственный граф».

1912

МАСКАРАД В ПАРКЕ

Луна освещает карнизы,
Блуждает по гребням реки...
Холодные руки маркизы
Так ароматно-легки.

«О принц! — улыбаясь присела, —
В кадрили вы наш vis-à-vis*», —
И томно под маской бледнела
От жгучих предчувствий любви.

Вход скрыл серебрящийся тополь
И низко спадающий хмель.
«Багдад или Константинополь
Я вам завоюю, ma belle!**»

«Как вы улыбаетесь редко,
Вас страшно, маркиза, обнять!»
Темно и прохладно в беседке.
«Ну что же! пойдем танцевать?»

---

*Визави (*фр.*). – *Ред.*

**Моя красавица! (*фр.*) – *Ред.*

Выходят. На вязах, на кленах
Цветные дрожат фонари,
Две дамы в одеждах зеленых
С монахами держат пари.

И бледный, с букетом азалий,
Их смехом встречает Пьеро:
«Мой принц! О, не вы ли сломали
На шляпе маркизы перо?»

1912

ВЕЧЕРНЯЯ КОМНАТА

Я говорю сейчас словами теми,
Что только раз рождаются в душе.
Жужжит пчела на белой хризантеме,
Так душно пахнет старое саше.

И комната, где окна слишком узки,
Хранит любовь и помнит старину,
А над кроватью надпись по-французски
Гласит: «Seigneur, ayez pitié de nous»*.

Ты сказки давней горестных заметок,
Душа моя, не тронь и не ищи...
Смотрю, блестящих севрских статуэток
Померкли глянцевитые плащи.

Последний луч, и желтый и тяжелый,
Застыл в букете ярких георгин,
И, как во сне, я слышу звук виолы
И редкие аккорды клавесин.

1912

---

* «Господь, смилуйся над нами» (*фр.*). — *Ред.*

СЕРОГЛАЗЫЙ КОРОЛЬ

Слава тебе, безысходная боль!
Умер вчера сероглазый король.

Вечер осенний был душен и ал,
Муж мой, вернувшись, спокойно
сказал:

«Знаешь, с охоты его принесли,
Тело у старого дуба нашли.

Жаль королеву. Такой молодой!..
За ночь одну она стала седой».

Трубку свою на камине нашел
И на работу ночную ушел.

Дочку мою я сейчас разбужу,
В серые глазки ее погляжу.

А за окном шелестят тополя:
«Нет на земле твоего короля...»

1910

РЫБАК

Руки голы выше локтя,
А глаза синей, чем лед.
Едкий, душный запах дегтя,
Как загар, тебе идет.

И всегда, всегда распахнут
Ворот куртки голубой,
И рыбачки только ахнут,
Закрасневшись пред тобой.

Даже девочка, что ходит
В город продавать камсу,
Как потерянная бродит
Вечерами на мысу.

Щеки бледны, руки слабы,
Истомленный взор глубок,
Ноги ей щекочут крабы,
Выползая на песок.

Но она уже не ловит
Их привычною рукой,
Все сильней биенье крови
В теле, раненном тоской.

1911

* * *

Он любил три вещи на свете:
За вечерней пенье, белых павлинов
И стертые карты Америки.
Не любил, когда плачут дети,
Не любил чая с малиной
И женской истерики.
...А я была его женой.

1910

* * *

Сегодня мне письма не принесли:
Забыл он написать или уехал;
Весна как трель серебряного смеха,
Качаются в заливе корабли.
Сегодня мне письма не принесли...

Он был со мной еще совсем недавно,
Такой влюбленный, ласковый и мой,
Но это было белою зимой,
Теперь весна, и грусть весны отравна,
Он был со мной еще совсем недавно...

Я слышу: легкий трепетный смычок,
Как от предсмертной боли, бьется, бьется,
И страшно мне, что сердце разорвется,
Не допишу я этих нежных строк...

1912

НАДПИСЬ НА НЕОКОНЧЕННОМ ПОРТРЕТЕ

О, не вздыхайте обо мне,
Печаль преступна и напрасна.
Я здесь, на сером полотне,
Возникла странно и неясно.

Взлетевших рук излом больной,
В глазах улыбка исступленья.
Я не могла бы стать иной
Пред горьким часом наслажденья.

Он так хотел, он так велел
Словами мертвыми и злыми.
Мой рот тревожно заалел,
И щеки стали снеговыми.

И нет греха в его вине,
Ушел, глядит в глаза другие,
Но ничего не снится мне
В моей предсмертной летаргии.

1912

* * *

Сладок запах синих виноградин...
Дразнит опьяняющая даль.
Голос твой и глух и безотраден.
Никого мне, никого не жаль.

Между ягод сети-паутинки,
Гибких лоз стволы еще тонки,
Облака плывут, как льдинки,
льдинки
В ярких водах голубой реки.

Солнце в небе. Солнце ярко светит.
Уходи к волне про боль шептать.
О, она, наверное, ответит,
А быть может, будет целовать.

1912

ПОДРАЖАНИЕ И. Ф. АННЕНСКОМУ

И с тобой, моей первой причудой,
Я простился. Восток голубел.
Просто молвила: «Я не забуду».
Я не сразу поверил тебе.

Возникают, стираются лица,
Мил сегодня, а завтра далек.
Отчего же на этой странице
Я когда-то загнул уголок?

И всегда открывается книга
В том же месте. И странно тогда:
Всё как будто с прощального мига
Не прошли невозвратно года.

О, сказавший, что сердце из камня,
Знал наверно: оно из огня...
Никогда не пойму, ты близка мне
Или только любила меня.

1911

* * *

Вере Ивановой-Шварсалон

Туманом легким парк наполнился,
И вспыхнул на воротах газ,
Мне только взгляд один запомнился
Незнающих, спокойных глаз.

Твоя печаль, для всех неявная,
Мне сразу сделалась близка,
И поняла ты, что отравная
И душная во мне тоска.

Я этот день люблю и праздную,
Приду, как только позовешь,
Меня, и грешную и праздную,
Лишь ты одна не упрекнешь.

1911

КУКУШКА

Я живу, как кукушка в часах,
Не завидую птицам в лесах.
Заведут — и кукую.
Знаешь, долю такую
Лишь врагу
Пожелать я могу.

1911

ПОХОРОНЫ

Я места ищу для могилы,
Не знаешь ли, где светлей?
Так холодно в поле. Унылы
У моря груды камней.

А она привыкла к покою
И любит солнечный свет.
Я келью над ней построю,
Как дом наш, на много лет.

Между окнами будет дверца,
Лампадку внутри зажжем,
Как будто темное сердце
Алым горит огнем.

Она бредила, знаешь, больная,
Про иной, про небесный край,
Но сказал монах, укоряя:
«Не для вас, не для грешных рай».

И тогда, побелев от боли,
Прошептала: «Уйду с тобой».
Вот одни мы теперь, на воле,
И у ног голубой прибой.

1911

САД

Он весь сверкает и хрустит,
Обледенелый сад.
Ушедший от меня грустит,
Но нет пути назад.

И солнце, бледный тусклый лик —
Лишь круглое окно;

Я тайно знаю, чей двойник
Приник к нему давно.

Здесь мой покой навеки взят
Предчувствием беды,
Сквозь тонкий лед еще сквозят
Вчерашние следы.

Склонился тусклый мертвый лик
К немому сну полей,
И замирает острый крик
Отсталых журавлей.

1911

НАД ВОДОЙ

Стройный мальчик пастушок,
Видишь, я в бреду.
Помню плащ и посошок
На свою беду.
Если встану — упаду.
Дудочка поет: ду-ду!

Мы прощались, как во сне,
Я сказала: «Жду».
Он, смеясь, ответил мне:
«Встретимся в аду».
Если встану — упаду.
Дудочка поет: ду-ду!

О глубокая вода
В мельничном пруду,
Не от горя, от стыда
Я к тебе приду.
И без крика упаду,
А вдали звучит: ду-ду.

1911

* * *

Три раза пытать приходила,
Я с криком тоски просыпалась
И видела тонкие руки
И красный насмешливый рот:
«Ты с кем на заре целовалась,
Клялась, что погибнешь в разлуке,
И жгучую радость таила,
Рыдая у черных ворот?
Кого ты на смерть проводила,
Тот скоро, о, скоро умрет».
Был голос как крик ястребиный,
Но странно на чей-то похожий,
Все тело мое изгибалось,
Почувствовав смертную дрожь.
И плотная сеть паутины
Упала, окутала ложе...
О, ты не напрасно смеялась,
Моя непрощенная ложь!

1911

Звенела музыка в саду

СМЯТЕНИЕ

1

Было душно от жгучего света,
А взгляды его — как лучи.
Я только вздрогнула: этот
Может меня приручить.
Наклонился — он что-то скажет...
От лица отхлынула кровь.
Пусть камнем надгробным ляжет
На жизни моей любовь.

2

Не любишь, не хочешь смотреть?
О, как ты красив, проклятый!
И я не могу взлететь,
А с детства была крылатой.
Мне очи застит туман,
Сливаются вещи и лица,
И только красный тюльпан,
Тюльпан у тебя в петлице.

3

Как велит простая учтивость,
Подошел ко мне, улыбнулся,
Полуласково, полулениво
Поцелуем руки коснулся —

И загадочных, древних ликов
На меня поглядели очи...
Десять лет замираний и криков,
Все мои бессонные ночи
Я вложила в тихое слово
И сказала его — напрасно.
Отошел ты, и стало снова
На душе и пусто и ясно.

1913

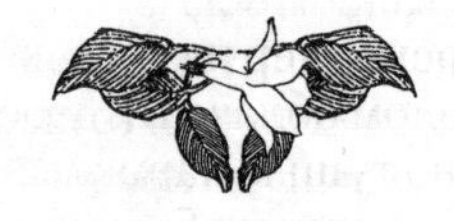

ПРОГУЛКА

Перо задело о верх экипажа.
Я поглядела в глаза его.
Томилось сердце, не зная даже
Причины горя своего.

Безветрен вечер и грустью скован
Под сводом облачных небес,
И словно тушью нарисован
В альбоме старом Булонский лес.

Бензина запах и сирени,
Насторожившийся покой...
Он снова тронул мои колени
Почти не дрогнувшей рукой.

1913

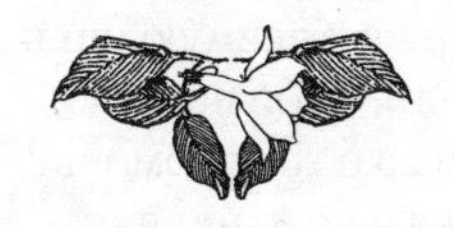

* * *

Я не любви твоей прошу.
Она теперь в надежном месте...
Поверь, что я твоей невесте
Ревнивых писем не пишу.
Но мудрые прими советы:
Дай ей читать мои стихи,
Дай ей хранить мои портреты —
Ведь так любезны женихи!
А этим дурочкам нужней
Сознанье полное победы,
Чем дружбы светлые беседы
И память первых нежных дней...
Когда же счастия гроши
Ты проживешь с подругой милой
И для пресыщенной души
Все станет сразу так постыло —
В мою торжественную ночь
Не приходи. Тебя не знаю.
И чем могла б тебе помочь?
От счастья я не исцеляю.

1914

* * *

После ветра и мороза было
Любо мне погреться у огня.
Там за сердцем я не уследила,
И его украли у меня.

Новогодний праздник длится пышно,
Влажны стебли новогодних роз,
А в груди моей уже не слышно
Трепетания стрекоз.

Ах! не трудно угадать мне вора,
Я его узнала по глазам.
Только страшно так, что скоро, скоро
Он вернет свою добычу сам.

1914

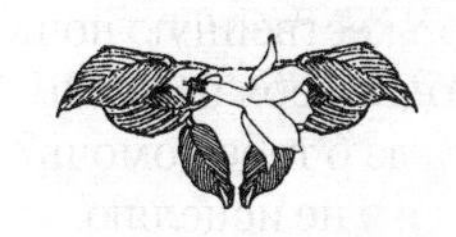

ВЕЧЕРОМ

Звенела музыка в саду
Таким невыразимым горем.
Свежо и остро пахли морем
На блюде устрицы во льду.

Он мне сказал: «Я верный друг!»
И моего коснулся платья.
Как не похожи на объятья
Прикосновенья этих рук.

Так гладят кошек или птиц,
Так на наездниц смотрят стройных...
Лишь смех в глазах его спокойных
Под легким золотом ресниц.

А скорбных скрипок голоса
Поют за стелющимся дымом:
«Благослови же небеса —
Ты первый раз одна с любимым».

1913

* * *

Все мы бражники здесь, блудницы,
Как невесело вместе нам!
На стенах цветы и птицы
Томятся по облакам.

Ты куришь черную трубку,
Так странен дымок над ней.
Я надела узкую юбку,
Чтоб казаться еще стройней.

Навсегда забиты окошки:
Что там, изморозь или гроза?
На глаза осторожной кошки
Похожи твои глаза.

О, как сердце мое тоскует!
Не смертного ль часа жду?
А та, что сейчас танцует,
Непременно будет в аду.

1913

* * *

...И на ступеньки встретить
Не вышли с фонарем.
В неверном лунном свете
Вошла я в тихий дом.

Под лампою зеленой,
С улыбкой неживой,
Друг шепчет: «Сандрильона,
Как странен голос твой...»

В камине гаснет пламя;
Томя, трещит сверчок.
Ах! кто-то взял на память
Мой белый башмачок

И дал мне три гвоздики,
Не подымая глаз.
О милые улики,
Куда мне спрятать вас?

И сердцу горько верить,
Что близок, близок срок,
Что всем он станет мерить
Мой белый башмачок.

1913

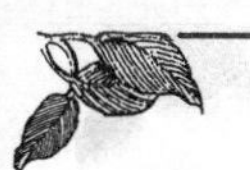

* * *

Безвольно пощады просят
Глаза. Что мне делать с ними,
Когда при мне произносят
Короткое, звонкое имя?

Иду по тропинке в поле
Вдоль серых сложенных бревен.
Здесь легкий ветер на воле
По-весеннему свеж, неровен.

И томное сердце слышит
Тайную весть о дальнем.
Я знаю: он жив, он дышит,
Он смеет быть не печальным.

1912

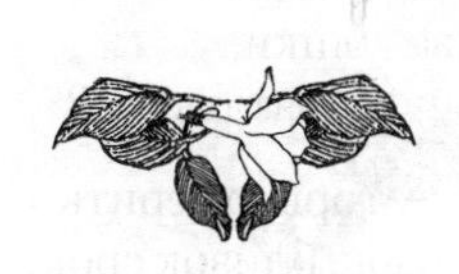

* * *

В последний раз мы встретились тогда
На набережной, где всегда встречались.
Была в Неве высокая вода,
И наводненья в городе боялись.

Он говорил о лете и о том,
Что быть поэтом женщине — нелепость.
Как я запомнила высокий царский дом
И Петропавловскую крепость! —

Затем что воздух был совсем не наш
И, как подарок Божий, — так чудесен.
И в этот час была мне отдана
Последняя из всех безумных песен.

1914

* * *

Покорно мне воображенье
В изображеньи серых глаз.
В моем тверском уединенье
Я горько вспоминаю вас.

Прекрасных рук счастливый
пленник,
На левом берегу Невы,
Мой знаменитый современник,
Случилось, как хотели вы,

Вы, приказавший мне: довольно,
Поди, убей свою любовь!
И вот я таю, я безвольна,
Но все сильней скучает кровь.

И если я умру, то кто же
Мои стихи напишет вам,
Кто стать звенящими поможет
Еще не сказанным словам?

1913

ОТРЫВОК

...И кто-то, во мраке дерев незримый,
Зашуршал опавшей листвой
И крикнул: «Что сделал с тобой
любимый,
Что сделал любимый твой!

Словно тронуты черной, густою тушью
Тяжелые веки твои.
Он предал тебя тоске и удушью
Отравительницы-любви.

Ты давно перестала считать уколы –
Грудь мертва под острой иглой.
И напрасно стараешься быть веселой –
Легче в гроб тебе лечь живой!..»

Я сказала обидчику: «Хитрый, черный,
Верно, нет у тебя стыда.
Он тихий, он нежный, он мне
покорный,
Влюбленный в меня навсегда!»

1912

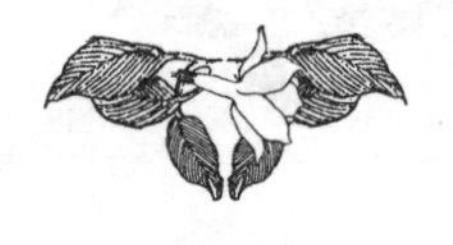

* * *

И жар по вечерам, и утром вялость,
И губ потрескавшихся вкус кровавый.
Так вот она — последняя усталость,
Так вот оно — преддверье царства славы.

Гляжу весь день из круглого окошка:
Белеет потеплевшая ограда,
И лебедою заросла дорожка,
А мне б идти по ней — такая радость.

Чтобы песок хрустел и лапы елок —
И черные и влажные — шуршали,
Чтоб месяца бесформенный осколок
Опять увидеть в голубом канале.

1913

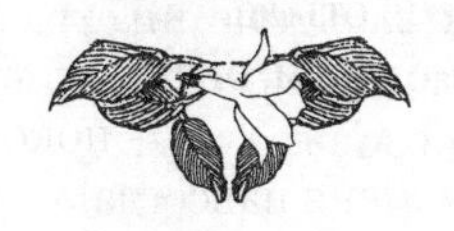

* * *

Не будем пить из одного стакана
Ни воду мы, ни сладкое вино,
Не поцелуемся мы утром рано,
А ввечеру не поглядим в окно.
Ты дышишь солнцем, я дышу луною,
Но живы мы любовию одною.

Со мной всегда мой верный, нежный друг,
С тобой твоя веселая подруга.
Но мне понятен серых глаз испуг,
И ты виновник моего недуга.
Коротких мы не учащаем встреч.
Так наш покой нам суждено беречь.

Лишь голос твой поет в моих стихах,
В твоих стихах мое дыханье веет,
О, есть костер, которого не смеет
Коснуться ни забвение, ни страх.
И если б знал ты, как сейчас мне любы
Твои сухие, розовые губы!

1913

* * *

У меня есть улыбка одна:
Так, движенье чуть видное губ.
Для тебя я ее берегу —
Ведь она мне любовью дана.
Все равно, что ты наглый и злой,
Все равно, что ты любишь других.
Предо мной золотой аналой,
И со мной сероглазый жених.

1913

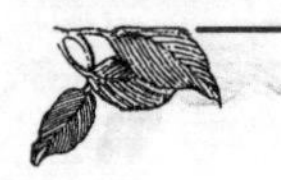

* * *

Настоящую нежность не спутаешь
Ни с чем, и она тиха.
Ты напрасно бережно кутаешь
Мне плечи и грудь в меха.
И напрасно слова покорные
Говоришь о первой любви.
Как я знаю эти упорные,
Несытые взгляды твои!

1913

* * *

Проводила друга до передней.
Постояла в золотой пыли.
С колоколенки соседней
Звуки важные текли.
Брошена! Придуманное слово —
Разве я цветок или письмо?
А глаза глядят уже сурово
В потемневшее трюмо.

1913

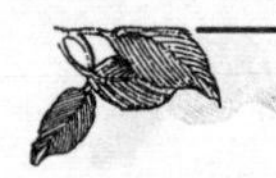

* * *

Столько просьб у любимой всегда!
У разлюбленной просьб не бывает.
Как я рада, что нынче вода
Под бесцветным ледком замирает.

И я стану — Христос помоги! —
На покров этот, светлый и ломкий,
А ты письма мои береги,
Чтобы нас рассудили потомки,

Чтоб отчетливей и ясней
Ты был виден им, мудрый и смелый,
В биографии славной твоей
Разве можно оставить пробелы?

Слишком сладко земное питье,
Слишком плотны любовные сети.
Пусть когда-нибудь имя мое
Прочитают в учебниках дети,

И, печальную повесть узнав,
Пусть они улыбнутся лукаво...
Мне любви и покоя не дав,
Подари меня горькою славой.

1913

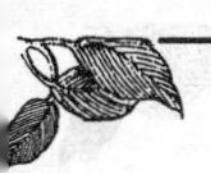

* * *

Здравствуй! Легкий шелест слышишь
Справа от стола?
Этих строчек не допишешь —
Я к тебе пришла.
Неужели ты обидишь
Так, как в прошлый раз, —
Говоришь, что рук не видишь,
Рук моих и глаз.
У тебя светло и просто.
Не гони меня туда,
Где под душным сводом моста
Стынет грязная вода.

1913

* * *

Цветов и неживых вещей
Приятен запах в этом доме.
У грядок груды овощей
Лежат, пестры, на черноземе.

Еще струится холодок,
Но с парников снята рогожа.
Там есть прудок, такой прудок,
Где тина на парчу похожа.

А мальчик мне сказал, боясь,
Совсем взволнованно и тихо,
Что там живет большой карась
И с ним большая карасиха.

1913

* * *

Каждый день по-новому тревожен,
Все сильнее запах спелой ржи.
Если ты к ногам моим положен,
Ласковый, лежи.

Иволги кричат в широких кленах,
Их ничем до ночи не унять.
Любо мне от глаз твоих зеленых
Ос веселых отгонять.

На дороге бубенец зазвякал —
Памятен нам этот легкий звук.
Я спою тебе, чтоб ты не плакал,
Песенку о вечере разлук.

1913

* * *

М. Лозинскому

Он длится без конца — янтарный,
тяжкий день!
Как невозможна грусть, как тщетно
ожиданье!
И снова голосом серебряным олень
В зверинце говорит о северном сиянье.
И я поверила, что есть прохладный снег
И синяя купель для тех, кто нищ и болен,
И санок маленьких такой неверный бег
Под звоны древние далеких колоколен.

1912

ГОЛОС ПАМЯТИ

О.А.Глебовой-Судейкиной

Что ты видишь, тускло на стену смотря,
В час, когда на небе поздняя заря?

Чайку ли на синей скатерти воды,
Или флорентийские сады?

Или парк огромный Царского Села,
Где тебе тревога путь пересекла?

Иль того ты видишь у своих колен,
Кто для белой смерти твой покинул плен?

Нет, я вижу стену только — и на ней
Отсветы небесных гаснущих огней.

1913

* * *

Я научилась просто, мудро жить,
Смотреть на небо и молиться Богу,
И долго перед вечером бродить,
Чтоб утомить ненужную тревогу.

Когда шуршат в овраге лопухи
И никнет гроздь рябины желто-красной,
Слагаю я веселые стихи
О жизни тленной, тленной и прекрасной.

Я возвращаюсь. Лижет мне ладонь
Пушистый кот, мурлыкает умильней,
И яркий загорается огонь
На башенке озерной лесопильни.

Лишь изредка прорезывает тишь
Крик аиста, слетевшего на крышу.
И если в дверь мою ты постучишь,
Мне кажется, я даже не услышу.

1912

* * *

Здесь все то же, то же, что и прежде,
Здесь напрасным кажется мечтать.
В доме у дороги непроезжей
Надо рано ставни запирать.

Тихий дом мой пуст и неприветлив,
Он на лес глядит одним окном,
В нем кого-то вынули из петли
И бранили мертвого потом.

Был он грустен или тайно весел,
Только смерть — большое торжество.
На истертом красном плюше кресел
Изредка мелькает тень его.

И часы с кукушкой ночи рады,
Все слышней их четкий разговор.
В щелочку смотрю я: конокрады
Зажигают под холмом костер.

И, пророча близкое ненастье,
Низко, низко стелется дымок.
Мне не страшно. Я ношу на счастье
Темно-синий шелковый шнурок.

1912

БЕССОННИЦА

Где-то кошки жалобно мяукают,
Звук шагов я издали ловлю...
Хорошо твои слова баюкают:
Третий месяц я от них не сплю.

Ты опять, опять со мной, бессонница!
Неподвижный лик твой узнаю.
Что, красавица, что, беззаконница,
Разве плохо я тебе пою?

Окна тканью белою завешены,
Полумрак струится голубой...
Или дальней вестью мы утешены?
Отчего мне так легко с тобой?

1912

* * *

Ты знаешь, я томлюсь в неволе,
О смерти Господа моля.
Но все мне памятна до боли
Тверская скудная земля.

Журавль у ветхого колодца,
Над ним, как кипень, облака,
В полях скрипучие воротца,
И запах хлеба, и тоска.

И те неяркие просторы,
Где даже голос ветра слаб,
И осуждающие взоры
Спокойных загорелых баб.

1913

* * *

Углем наметил на левом боку
Место, куда стрелять,
Чтоб выпустить птицу — мою тоску
В пустынную ночь опять.

Милый! не дрогнет твоя рука,
И мне недолго терпеть.
Вылетит птица — моя тоска,
Сядет на ветку и станет петь.

Чтоб тот, кто спокоен в своем дому,
Раскрывши окно, сказал:
«Голос знакомый, а слов не пойму», —
И опустил глаза.

1914

* * *

Вижу выцветший флаг над таможней
И над городом желтую муть.
Вот уж сердце мое осторожней
Замирает, и больно вздохнуть.

Стать бы снова приморской девчонкой,
Туфли на босу ногу надеть,
И закладывать косы коронкой,
И взволнованным голосом петь.

Все глядеть бы на смуглые главы
Херсонесского храма с крыльца
И не знать, что от счастья и славы
Безнадежно дряхлеют сердца.

1913

* * *

Ты пришел меня утешить, милый,
Самый нежный, самый кроткий...
От подушки приподняться нету силы,
А на окнах частые решетки.

Мертвой, думал, ты меня застанешь,
И принес веночек неискусный.
Как улыбкой сердце больно ранишь,
Ласковый, насмешливый и грустный.

Что теперь мне смертное томленье!
Если ты еще со мной побудешь,
Я у Бога вымолю прощенье
И тебе, и всем, кого ты любишь.

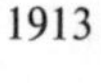
1913

* * *

Ты письмо мое, милый, не комкай.
До конца его, друг, прочти.
Надоело мне быть незнакомкой,
Быть чужой на твоем пути.

Не гляди так, не хмурься гневно.
Я любимая, я твоя.
Не пастушка, не королевна
И уже не монашенка я —

В этом сером, будничном платье,
На стоптанных каблуках...
Но, как прежде, жгуче объятье,
Тот же страх в огромных глазах.

Ты письмо мое, милый, не комкай,
Не плачь о заветной лжи,
Ты его в своей бедной котомке
На самое дно положи.

1912

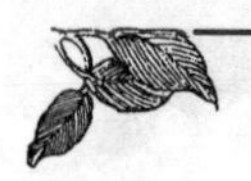

* * *

Н. Г.

В ремешках пенал и книги были,
Возвращалась я домой из школы.
Эти липы, верно, не забыли
Нашей встречи, мальчик мой веселый.
Только, ставши лебедем надменным,
Изменился серый лебеденок.
А на жизнь мою лучом нетленным
Грусть легла, и голос мой незвонок.

1912

* * *

Со дня Купальницы-Аграфены
Малиновый платок хранит.
Молчит, а ликует, как царь Давид.
В морозной келье белы стены,
И с ним никто не говорит.

Приду и стану на порог,
Скажу: «Отдай мне мой платок!»

1913

* * *

Я с тобой не стану пить вино,
Оттого что ты мальчишка озорной.
Знаю я — у вас заведено
С кем попало целоваться под луной.

А у нас — тишь да гладь,
Божья благодать.
А у нас — светлых глаз
Нет приказу подымать.

1913

* * *

Вечерние часы перед столом.
Непоправимо белая страница.
Мимоза пахнет Ниццей и теплом.
В луче луны летит большая птица.

И, туго косы на ночь заплетя,
Как будто завтра нужны будут косы,
В окно гляжу я, больше не грустя,
На море, на песчаные откосы.

Какую власть имеет человек,
Который даже нежности не просит!
Я не могу поднять усталых век,
Когда мое он имя произносит.

1913

* * *

Будешь жить, не зная лиха,
Править и судить.
Со своей подругой тихой
Сыновей растить.

И во всем тебе удача,
Ото всех почет,
Ты не знай, что я от плача
Дням теряю счет.

Много нас таких бездомных,
Сила наша в том,
Что для нас, слепых и темных,
Светел Божий дом,

И для нас, склоненных долу,
Алтари горят,
Наши к Божьему престолу
Голоса летят.

1915

* * *

Как вплелась в мои темные косы
Серебристая нежная прядь, —
Только ты, соловей безголосый,
Эту муку сумеешь понять.

Чутким ухом далекое слышишь
И на тонкие ветки ракит,
Весь нахохлившись, смотришь —
не дышишь,
Если песня чужая звучит.

А еще так недавно, недавно,
Замирали вокруг тополя,
И звенела и пела отравно
Несказанная радость твоя.

1912

СТИХИ О ПЕТЕРБУРГЕ

1

Вновь Исакий в облаченье
Из литого серебра.
Стынет в грозном нетерпенье
Конь Великого Петра.

Ветер душный и суровый
С черных труб сметает гарь...
Ах! своей столицей новой
Недоволен государь.

2

Сердце бьется ровно, мерно,
Что мне долгие года!
Ведь под аркой на Галерной
Наши тени навсегда.

Сквозь опущенные веки
Вижу, вижу, ты со мной,
И в руке твоей навеки
Нераскрытый веер мой.

Оттого, что стали рядом
Мы в блаженный миг чудес,
В миг, когда над Летним садом
Месяц розовый воскрес, —

Мне не надо ожиданий
У постылого окна
И томительных свиданий.
Вся любовь утолена.

Ты свободен, я свободна,
Завтра лучше, чем вчера, —
Над Невою темноводной,
Под улыбкою холодной
Императора Петра.

1913

* * *

Знаю, знаю — снова лыжи
Сухо заскрипят.
В синем небе месяц рыжий,
Луг так сладостно покат.

Во дворце горят окошки,
Тишиной удалены.
Ни тропинки, ни дорожки,
Только проруби темны.

Ива, дерево русалок,
Не мешай мне на пути!
В снежных ветках черных галок,
Черных галок приюти.

1913

ВЕНЕЦИЯ

Золотая голубятня у воды,
Ласковой и млеюще-зеленой;
Заметает ветерок соленый
Черных лодок узкие следы.

Столько нежных, странных лиц в толпе.
В каждой лавке яркие игрушки:
С книгой лев на вышитой подушке,
С книгой лев на мраморном столбе.

Как на древнем, выцветшем холсте,
Стынет небо тускло-голубое...
Но не тесно в этой тесноте
И не душно в сырости и зное.

1912

* * *

Протертый коврик под иконой,
В прохладной комнате темно,
И густо плющ темно-зеленый
Завил широкое окно.

От роз струится запах сладкий,
Трещит лампадка, чуть горя.
Пестро расписаны укладки
Рукой любовной кустаря.

И у окна белеют пяльцы...
Твой профиль тонок и жесток.
Ты зацелованные пальцы
Брезгливо прячешь под платок.

А сердцу стало страшно биться,
Такая в нем теперь тоска...
И в косах спутанных таится
Чуть слышный запах табака.

1912

ГОСТЬ

Все как раньше: в окна столовой
Бьется мелкий метельный снег,
И сама я не стала новой,
А ко мне приходил человек.

Я спросила: «Чего же ты хочешь?»
Он сказал: «Быть с тобой в аду».
Я смеялась: «Ах, напророчишь
Нам обоим, пожалуй, беду».

Но, поднявши руку сухую,
Он слегка потрогал цветы:
«Расскажи, как тебя целуют,
Расскажи, как целуешь ты».

И глаза, глядевшие тускло,
Не сводил с моего кольца.
Ни один не двинулся мускул
Просветленно-злого лица.

О, я знаю, его отрада —
Напряженно и страстно знать,
Что ему ничего не надо,
Что мне не в чем ему отказать.

1914

* * *

Александру Блоку

Я пришла к поэту в гости.
Ровно полдень. Воскресенье.
Тихо в комнате просторной,
А за окнами мороз

И малиновое солнце
Над лохматым сизым дымом...
Как хозяин молчаливый
Ясно смотрит на меня!

У него глаза такие,
Что запомнить каждый должен;
Мне же лучше, осторожной,
В них и вовсе не глядеть.

Но запомнится беседа,
Дымный полдень, воскресенье
В доме сером и высоком
У морских ворот Невы.

1914

И стихов моих белая стая

* * *

Думали: нищие мы, нету у нас ничего,
А как стали одно за другим терять,
Так, что сделался каждый день
Поминальным днем, —
Начали песни слагать
О великой щедрости Божьей
Да о нашем бывшем богатстве.

1915

* * *

Твой белый дом и тихий сад оставлю.
Да будет жизнь пустынна и светла.
Тебя, тебя в моих стихах прославлю,
Как женщина прославить не могла.
И ты подругу помнишь дорогую
В тобою созданном для глаз ее раю,
А я товаром редкостным торгую —
Твою любовь и нежность продаю.

1913

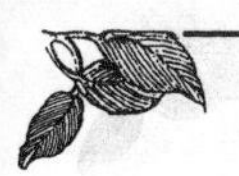

УЕДИНЕНИЕ

Так много камней брошено в меня,
Что ни один из них уже не страшен,
И стройной башней стала западня,
Высокою среди высоких башен.
Строителей ее благодарю,
Пусть их забота и печаль минует.
Отсюда раньше вижу я зарю,
Здесь солнца луч последний торжествует.
И часто в окна комнаты моей
Влетают ветры северных морей,
И голубь ест из рук моих пшеницу...
А недописанную мной страницу —
Божественно спокойна и легка,
Допишет Музы смуглая рука.

1914

* * *

Слаб голос мой, но воля не слабеет,
Мне даже легче стало без любви.
Высоко небо, горный ветер веет,
И непорочны помыслы мои.

Ушла к другим бессонница-сиделка,
Я не томлюсь над серою золой,
И башенных часов кривая стрелка
Смертельной мне не кажется стрелой.

Как прошлое над сердцем власть теряет!
Освобожденье близко. Все прощу,
Следя, как луч взбегает и сбегает
По влажному весеннему плющу.

1912

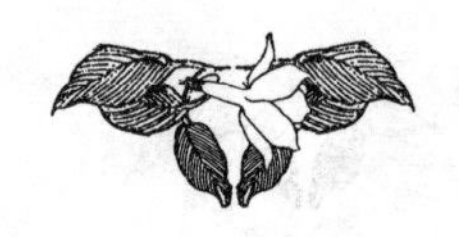

* * *

Был он ревнивым, тревожным и нежным,
Как Божье солнце, меня любил,
А чтобы она не запела о прежнем,
Он белую птицу мою убил.

Промолвил, войдя на закате в светлицу:
«Люби меня, смейся, пиши стихи!»
И я закопала веселую птицу
За круглым колодцем у старой ольхи.

Ему обещала, что плакать не буду.
Но каменным сделалось сердце мое,
И кажется мне, что всегда и повсюду
Услышу я сладостный голос ее.

1914

* * *

Тяжела ты, любовная память!
Мне в дыму твоем петь и гореть,
А другим — это только пламя,
Чтоб остывшую душу греть.

Чтобы греть пресыщенное тело,
Им надобны слезы мои...
Для того ль я, Господи, пела,
Для того ль причастилась любви!

Дай мне выпить такой отравы,
Чтобы сделалась я немой,
И мою бесславную славу
Осиянным забвением смой.

1914

* * *

Потускнел на небе синий лак,
И слышнее песня окарины.
Это только дудочка из глины,
Не на что ей жаловаться так.
Кто ей рассказал мои грехи
И зачем она меня прощает?..
Или этот голос повторяет
Мне твои последние стихи?

1912

* * *

В.С. Срезневской

Вместо мудрости — опытность, пресное,
Неутоляющее питье.
А юность была — как молитва воскресная...
Мне ли забыть ее?

Столько дорог пустынных исхожено
С тем, кто мне не был мил,
Столько поклонов в церквах положено
За того, кто меня любил...

Стала забывчивей всех забывчивых,
Тихо плывут года.
Губ нецелованных, глаз неулыбчивых
Мне не вернуть никогда.

1913

* * *

А! Это снова ты. Не отроком влюбленным,
Но мужем дерзостным, суровым,
непреклонным
Ты в этот дом вошел и на меня глядишь.
Страшна моей душе предгрозовая тишь.
Ты спрашиваешь, что я сделала с тобою,
Врученным мне навек любовью и судьбою.
Я предала тебя. И это повторять —
О, если бы ты мог когда-нибудь устать!
Так мертвый говорит, убийцы сон тревожа,
Так ангел смерти ждет у рокового ложа.
Прости меня теперь. Учил прощать Господь.
В недуге горестном моя томится плоть,
А вольный дух уже почиет безмятежно.
Я помню только сад, сквозной, осенний,
нежный,
И крики журавлей, и черные поля...
О, как была с тобой мне сладостна земля!

1916

* * *

Муза ушла по дороге,
Осенней, узкой, крутой,
И были смуглые ноги
Обрызганы крупной росой.

Я долго ее просила
Зимы со мной подождать,
Но сказала: «Ведь здесь могила,
Как ты можешь еще дышать?»

Я голубку ей дать хотела,
Ту, что всех в голубятне белей,
Но птица сама полетела
За стройной гостьей моей.

Я, глядя ей вслед, молчала,
Я любила ее одну,
А в небе заря стояла,
Как ворота в ее страну.

1915

* * *

Я улыбаться перестала,
Морозный ветер губы студит,
Одной надеждой меньше стало,
Одною песней больше будет.
И эту песню я невольно
Отдам на смех и поруганье,
Затем, что нестерпимо больно
Душе любовное молчанье.

1915

* * *

О, это был прохладный день
В чудесном городе Петровом!
Лежал закат костром багровым,
И медленно густела тень.

Пусть он не хочет глаз моих,
Пророческих и неизменных.
Всю жизнь ловить он будет стих,
Молитву губ моих надменных.

1913

* * *

Н.В.Н.

Есть в близости людей заветная черта,
Ее не перейти влюбленности и страсти, —
Пусть в жуткой тишине сливаются уста
И сердце рвется от любви на части.

И дружба здесь бессильна, и года
Высокого и огненного счастья,
Когда душа свободна и чужда
Медлительной истоме сладострастья.

Стремящиеся к ней безумны, а ее
Достигшие — поражены тоскою...
Теперь ты понял, отчего мое
Не бьется сердце под твоей рукою.

1915

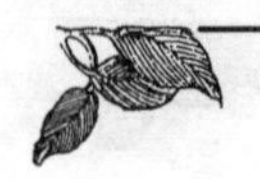

* * *

Все отнято: и сила, и любовь.
В немилый город брошенное тело
Не радо солнцу. Чувствую, что кровь
Во мне уже совсем похолодела.

Веселой Музы нрав не узнаю:
Она глядит и слова не проронит,
А голову в веночке темном клонит,
Изнеможенная, на грудь мою.

И только совесть с каждым днем
страшней
Беснуется: великой хочет дани.
Закрыв лицо, я отвечала ей...
Но больше нет ни слез, ни оправданий.

1916

* * *

Нам свежесть слов и чувства простоту
Терять не то ль, что живописцу — зренье,
Или актеру — голос и движенье,
А женщине прекрасной — красоту?

Но не пытайся для себя хранить
Тебе дарованное небесами:
Осуждены — и это знаем сами —
Мы расточать, а не копить.

Иди один и исцеляй слепых,
Чтобы узнать в тяжелый час сомненья
Учеников злорадное глумленье
И равнодушие толпы.

1915

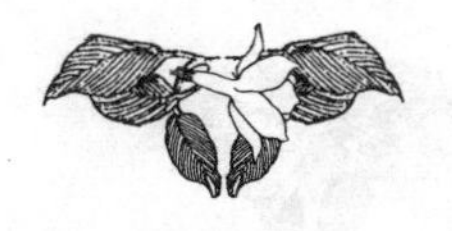

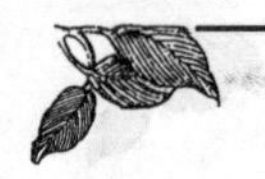

* * *

Был блаженной моей колыбелью
Темный город у грозной реки
И торжественной брачной постелью,
Над которой держали венки
Молодые твои серафимы, —
Город, горькой любовью любимый.

Солеёю молений моих
Был ты, строгий, спокойный,
туманный.
Там впервые предстал мне жених,
Указавши мой путь осиянный,
И печальная Муза моя,
Как слепую, водила меня.

1914

* * *

Как ты можешь смотреть на Неву,
Как ты смеешь всходить на мосты?..
Я недаром печальной слыву
С той поры, как привиделся ты.
Черных ангелов крылья остры,
Скоро будет последний суд,
И малиновые костры,
Словно розы, в снегу цветут.

1914

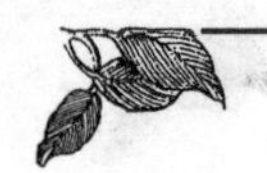

9 ДЕКАБРЯ 1913 ГОДА

Самые темные дни в году
Светлыми стать должны.
Я для сравнения слов не найду —
Так твои губы нежны.

Только глаза подымать не смей,
Жизнь мою храня.
Первых фиалок они светлей,
А смертельные для меня.

Вот поняла, что не надо слов,
Оснеженные ветки легки...
Сети уже разостлал птицелов
На берегу реки.

1915

* * *

Под крышей промерзшей пустого жилья
Я мертвенных дней не считаю,
Читаю посланья апостолов я,
Слова псалмопевца читаю.
Но звезды синеют, но иней пушист,
И каждая встреча чудесней, —
А в Библии красный кленовый лист
Заложен на Песни Песней.

1915

* * *

Н.В.Н.

Целый год ты со мной неразлучен,
А как прежде, и весел и юн!
Неужели же ты не измучен
Смутной песней затравленных струн, —
Тех, что прежде, тугие, звенели,
А теперь только стонут слегка,
И моя их терзает без цели
Восковая, сухая рука...
Верно, мало для счастия надо
Тем, кто нежен и любит светло,
Что ни ревность, ни гнев, ни досада
Молодое не тронут чело.
Тихий, тихий, и ласки не просит,
Только долго глядит на меня
И с улыбкой блаженной выносит
Страшный бред моего забытья.

1914

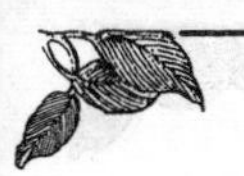

* * *

Черная вилась дорога,
Дождик моросил,
Проводить меня немного
Кто-то попросил.
Согласилась, да забыла
На него взглянуть,
А потом так странно было
Вспомнить этот путь.
Плыл туман, как фимиамы
Тысячи кадил.
Спутник песенкой упрямо
Сердце бередил.
Помню древние ворота
И конец пути —
Там со мною шедший кто-то
Мне сказал: «Прости...»
Медный крестик дал мне в руки,
Словно брат родной...
И я всюду слышу звуки
Песенки степной.
Ах, я дома как не дома —
Плачу и грущу.
Отзовись, мой незнакомый,
Я тебя ищу!

1913

* * *

Как люблю, как любила глядеть я
На закованные берега,
На балконы, куда столетья
Не ступала ничья нога.
И воистину ты — столица
Для безумных и светлых нас;
Но когда над Невою длится
Тот особенный, чистый час
И проносится ветер майский
Мимо всех надводных колонн,
Ты — как грешник, видящий райский
Перед смертью сладчайший сон...

1916

* * *

И мнится — голос человека
Здесь никогда не прозвучит,
Лишь ветер каменного века
В ворота черные стучит.
И мнится мне, что уцелела
Под этим небом я одна, —
За то, что первая хотела
Испить смертельного вина.

1917

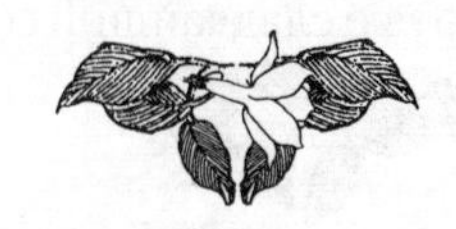

РАЗЛУКА

Вечерний и наклонный
Передо мною путь.
Вчера еще, влюбленный,
Молил: «Не позабудь».
А нынче только ветры
Да крики пастухов,
Взволнованные кедры
У чистых родников.

1914

* * *

Чернеет дорога приморского сада,
Желты и свежи фонари.
Я очень спокойная. Только не надо
Со мною о нем говорить.
Ты милый и верный, мы будем
друзьями...
Гулять, целоваться, стареть...
И легкие месяцы будут над нами,
Как снежные звезды, лететь.

1914

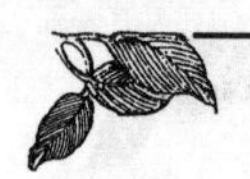

* * *

Не в лесу мы, довольно аукать, —
Я насмешек таких не люблю...
Что же ты не приходишь баюкать
Уязвленную совесть мою?

У тебя заботы другие,
У тебя другая жена...
И глядит мне в глаза сухие
Петербургская весна.

Трудным кашлем, вечерним жаром
Наградит по заслугам, убьет.
На Неве под млеющим паром
Начинается ледоход.

1914

* * *

Все обещало мне его:
Край неба, тусклый и червонный,
И милый сон под Рождество,
И Пасхи ветер многозвонный,

И прутья красные лозы,
И парковые водопады,
И две большие стрекозы
На ржавом чугуне ограды.

И я не верить не могла,
Что будет дружен он со мною,
Когда по горным склонам шла
Горячей каменной тропою.

1916

* * *

Как невеста, получаю
Каждый вечер по письму,
Поздно ночью отвечаю
Другу моему:

«Я гощу у смерти белой
По дороге в тьму.
Зла, мой ласковый, не делай
В мире никому».

И стоит звезда большая
Между двух стволов,
Так спокойно обещая
Исполненье снов.

1915

* * *

Ведь где-то есть простая жизнь и свет,
Прозрачный, теплый и веселый...
Там с девушкой через забор сосед
Под вечер говорит, и слышат только пчелы
Нежнейшую из всех бесед.

А мы живем торжественно и трудно
И чтим обряды наших горьких встреч,
Когда с налету ветер безрассудный
Чуть начатую обрывает речь, —

Но ни на что не променяем пышный
Гранитный город славы и беды,
Широких рек сияющие льды,
Бессолнечные, мрачные сады
И голос Музы еле слышный.

1915

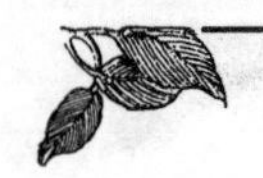

* * *

Как площади эти обширны,
Как гулки и круты мосты!
Тяжелый, беззвездный и мирный
Над нами покров темноты.

И мы, словно смертные люди,
По свежему снегу идем.
Не чудо ль, что нынче пробудем
Мы час предразлучный вдвоем?

Безвольно слабеют колени,
И кажется, нечем дышать...
Ты — солнце моих песнопений,
Ты — жизни моей благодать.

Вот черные зданья качнутся,
И на землю я упаду, —
Теперь мне не страшно очнуться
В моем деревенском саду.

1917

* * *

Когда в мрачнейшей из столиц
Рукою твердой, но усталой
На чистой белизне страниц
Я отречение писала,

И ветер в круглое окно
Вливался влажною струею, —
Казалось, небо сожжено
Червонно-дымною зарею.

Я не взглянула на Неву,
На озаренные граниты,
И мне казалось — наяву
Тебя увижу, незабытый...

Но неожиданная ночь
Покрыла город предосенний.
Чтоб бегству моему помочь,
Расплылись пепельные тени.

Я только крест с собой взяла,
Тобою данный в день измены, —
Чтоб степь полынная цвела,
А ветры пели, как сирены.

И вот он на пустой стене
Хранит меня от горьких бредней,
И ничего не страшно мне
Припомнить — даже день последний.

1916

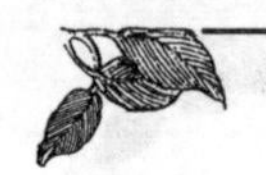

ЦАРСКОСЕЛЬСКАЯ СТАТУЯ

Н.В.Н.

Уже кленовые листы
На пруд слетают лебединый,
И окровавлены кусты
Неспешно зреющей рябины,

И ослепительно стройна,
Поджав незябнущие ноги,
На камне северном она
Сидит и смотрит на дороги.

Я чувствовала смутный страх
Пред этой девушкой воспетой.
Играли на ее плечах
Лучи скудеющего света.

И как могла я ей простить
Восторг твоей хвалы влюбленной...
Смотри, ей весело грустить,
Такой нарядно обнаженной.

1916

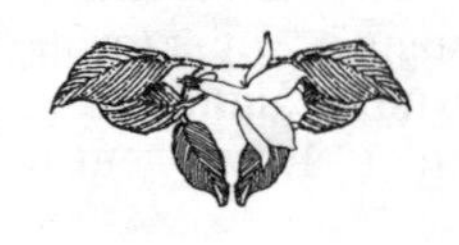

* * *

Н.В.Н.

Все мне видится Павловск холмистый,
Круглый луг, неживая вода,
Самый томный и самый тенистый,
Ведь его не забыть никогда.

Как в ворота чугунные въедешь,
Тронет тело блаженная дрожь,
Не живешь, а ликуешь и бредишь
Иль совсем по-иному живешь.

Поздней осенью, свежий и колкий,
Бродит ветер, безлюдию рад.
В белом инее черные елки
На подтаявшем снеге стоят.

И, исполненный жгучего бреда,
Милый голос как песня звучит,
И на медном плече Кифареда
Красногрудая птичка сидит.

1915

* * *

Вновь подарен мне дремотой
Наш последний звездный рай —
Город чистых водометов,
Золотой Бахчисарай.

Там, за пестрою оградой,
У задумчивой воды,
Вспоминали мы с отрадой
Царскосельские сады,

И орла Екатерины
Вдруг узнали — это тот!
Он слетел на дно долины
С пышных бронзовых ворот.

Чтобы песнь прощальной боли
Дольше в памяти жила,
Осень смуглая в подоле
Красных листьев принесла

И посыпала ступени,
Где прощалась я с тобой
И откуда в царство тени
Ты ушел, утешный мой.

1916

* * *

Бессмертник сух и розов. Облака
На свежем небе вылеплены грубо.
Единственного в этом парке дуба
Листва еще бесцветна и тонка.

Лучи зари до полночи горят.
Как хорошо в моем затворе тесном!
О самом нежном, о всегда чудесном
Со мной сегодня птицы говорят.

Я счастлива. Но мне всего милей
Лесная и пологая дорога,
Убогий мост, скривившийся немного,
И то, что ждать осталось мало дней.

1916

* * *

Подошла. Я волненья не выдал,
Равнодушно глядя в окно.
Села, словно фарфоровый идол,
В позе, выбранной ею давно.

Быть веселой — привычное дело,
Быть внимательной — это трудней...
Или томная лень одолела
После мартовских пряных ночей?

Утомительный гул разговоров,
Желтой люстры безжизненный зной,
И мельканье искусных проборов
Над приподнятой легкой рукой.

Улыбнулся опять собеседник
И с надеждой глядит на нее...
Мой счастливый, богатый наследник,
Ты прочти завещанье мое.

1914

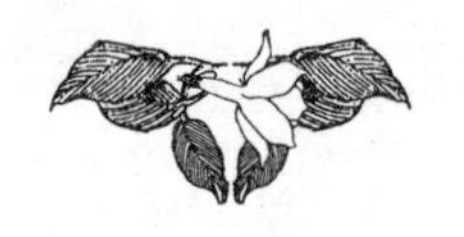

МАЙСКИЙ СНЕГ

Прозрачная ложится пелена
На свежий дерн и незаметно тает.
Жестокая, студеная весна
Налившиеся почки убивает.

И ранней смерти так ужасен вид,
Что не могу на Божий мир глядеть я.
Во мне печаль, которой царь Давид
По-царски одарил тысячелетья.

1916

* * *

Зачем притворяешься ты
То ветром, то камнем, то птицей?
Зачем улыбаешься ты
Мне с неба внезапной зарницей?

Не мучь меня больше, не тронь!
Пусти меня к вещим заботам...
Шатается пьяный огонь
По высохшим серым болотам.

И Муза в дырявом платке
Протяжно поет и уныло.
В жестокой и юной тоске
Ее чудотворная сила.

1915

ИЮЛЬ 1914

1

Пахнет гарью. Четыре недели
Торф сухой по болотам горит.
Даже птицы сегодня не пели,
И осина уже не дрожит.

Стало солнце немилостью Божьей,
Дождик с Пасхи полей не кропил.
Приходил одноногий прохожий
И один на дворе говорил:

«Сроки страшные близятся. Скоро
Станет тесно от свежих могил.
Ждите глада, и труса, и мора,
И затменья небесных светил.

Только нашей земли не разделит
На потеху себе супостат:
Богородица белый расстелет
Над скорбями великими плат».

2

Можжевельника запах сладкий
От горящих лесов летит.
Над ребятами стонут солдатки,
Вдовий плач по деревне звенит.

Не напрасно молебны служились,
О дожде тосковала земля:
Красной влагой тепло окропились
Затоптанные поля.

Низко, низко небо пустое,
И голос молящего тих:
«Ранят тело твое пресвятое,
Мечут жребий о ризах твоих».

1914

* * *

Пустых небес прозрачное стекло,
Большой тюрьмы белесое строенье
И хода крестного торжественное пенье
Над Волховом, синеющим светло.

Сентябрьский вихрь, листы с березы свеяв,
Кричит и мечется среди ветвей,
А город помнит о судьбе своей:
Здесь Марфа правила и правил Аракчеев.

1914

* * *

Тот голос, с тишиной великой споря,
Победу одержал над тишиной.
Во мне еще, как песня или горе,
Последняя зима перед войной.

Белее сводов Смольного собора,
Таинственней, чем пышный Летний сад,
Она была. Не знали мы, что скоро
В тоске предельной поглядим назад.

1917

МОЛИТВА

Дай мне горькие годы недуга,
Задыханья, бессонницу, жар,
Отыми и ребенка, и друга,
И таинственный песенный дар —
Так молюсь за Твоей литургией
После стольких томительных дней,
Чтобы туча над темной Россией
Стала облаком в славе лучей.

1915

* * *

Мы не умеем прощаться, —
Все бродим плечо к плечу.
Уже начинает смеркаться,
Ты задумчив, а я молчу.

В церковь войдем, увидим
Отпеванье, крестины, брак,
Не взглянув друг на друга, выйдем...
Отчего всё у нас не так?

Или сядем на снег примятый
На кладбище, легко вздохнем,
И ты палкой чертишь палаты,
Где мы будем всегда вдвоем.

1917

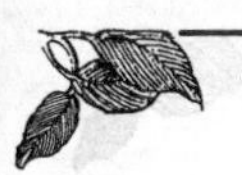

* * *

Столько раз я проклинала
Это небо, эту землю,
Этой мельницы замшелой
Тяжко машущие руки!
А во флигеле покойник,
Прям и сед, лежит на лавке,
Как тому назад три года.
Так же мыши книги точат,
Так же влево пламя клонит
Стеариновая свечка.
И поет, поет постылый
Бубенец нижегородский
Незатейливую песню
О моем веселье горьком.
А раскрашенные ярко
Прямо стали георгины
Вдоль серебряной дорожки,
Где улитки и полынь.
Так случилось: заточенье
Стало родиной второю,
А о первой я не смею
И в молитве вспоминать.

1915

* * *

Ни в лодке, ни в телеге
Нельзя попасть сюда.
Стоит на гиблом снеге
Глубокая вода;
Усадьбу осаждает
Уже со всех сторон...
Ах! близко изнывает
Такой же Робинзон.
Пойдет взглянуть на сани,
На лыжи, на коня,
А после на диване
Сидит и ждет меня
И шпорою короткой
Рвет коврик пополам.
Теперь улыбки кроткой
Не видеть зеркалам.

1916

* * *

Вижу, вижу лунный лук
Сквозь листву густых ракит,
Слышу, слышу ровный стук
Неподкованных копыт.

Что? И ты не хочешь спать,
В год не мог меня забыть,
Не привык свою кровать
Ты пустою находить?

Не с тобой ли говорю
В остром крике хищных птиц,
Не в твои ль глаза смотрю
С белых, матовых страниц?

Что же кружишь, словно вор,
У затихшего жилья?
Или помнишь уговор
И живую ждешь меня?

Засыпаю. В душный мрак
Месяц бросил лезвие.
Снова стук. То бьется так
Сердце теплое мое.

1915

* * *

Бесшумно ходили по дому,
Не ждали уже ничего.
Меня привезли к больному,
И я не узнала его.

Он сказал: «Теперь слава Богу, —
И еще задумчивей стал. —
Давно мне пора в дорогу,
Я только тебя поджидал.

Так меня ты в бреду тревожишь,
Все слова твои берегу.
Скажи: ты простить не можешь?»
И я сказала: «Могу».

Казалось, стены сияли
От пола до потолка.
На шелковом одеяле
Сухая лежала рука.

А закинутый профиль хищный
Стал так страшно тяжел и груб,
И было дыханья не слышно
У искусанных темных губ.

Но вдруг последняя сила
В синих глазах ожила:

«Хорошо, что ты отпустила,
Не всегда ты доброй была».

И стало лицо моложе,
Я опять узнала его
И сказала: «Господи Боже,
Прими раба Твоего».

1914

* * *

Так раненого журавля
Зовут другие: курлы, курлы!
Когда осенние поля
И рыхлы, и теплы...

И я, больная, слышу зов,
Шум крыльев золотых
Из плотных низких облаков
И зарослей густых:

«Пора лететь, пора лететь
Над полем и рекой,
Ведь ты уже не можешь петь
И слезы со щеки стереть
Ослабнувшей рукой».

1915

* * *

Буду тихо на погосте
Под доской дубовой спать,
Будешь, милый, к маме в гости
В вокресенье прибегать —
Через речку и по горке,
Так что взрослым не догнать,
Издалека, мальчик зоркий,
Будешь крест мой узнавать.
Знаю, милый, можешь мало
Обо мне припоминать:
Не бранила, не ласкала,
Не водила причащать.

1915

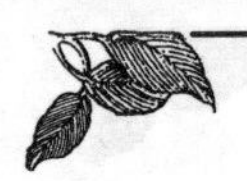

* * *

Приду туда, и отлетит томленье.
Мне ранние приятны холода.
Таинственные, темные селенья —
Хранилища молитвы и труда.

Спокойной и уверенной любови
Не превозмочь мне к этой стороне:
Ведь капелька новогородской крови
Во мне — как льдинка в пенистом вине.

И этого никак нельзя поправить,
Не растопил ее великий зной,
И что бы я ни начинала славить —
Ты, тихая, сияешь предо мной.

1916

* * *

Стал мне реже сниться, слава Богу,
Больше не мерещится везде.
Лег туман на белую дорогу,
Тени побежали по воде.

И весь день не замолкали звоны
Над простором вспаханной земли,
Здесь всего сильнее от Ионы
Колокольни лаврские вдали.

Подстригаю на кустах сирени
Ветки те, что ныне отцвели;
По валам старинных укреплений
Два монаха медленно прошли.

Мир родной, понятный и телесный,
Для меня, незрячей, оживи.
Исцелил мне душу Царь Небесный
Ледяным покоем нелюбви.

1912

* * *

Будем вместе, милый, вместе,
Знают все, что мы родные,
А лукавые насмешки,
Как бубенчик отдаленный,
И обидеть нас не могут,
И не могут огорчить.

Где венчались мы — не помним,
Но сверкала эта церковь
Тем неистовым сияньем,
Что лишь ангелы умеют
В белых крыльях приносить.

А теперь пора такая,
Страшный год и страшный город.
Как же можно разлучиться
Мне с тобой, тебе со мной?

1915

ПАМЯТИ 19 ИЮЛЯ 1914

Мы на сто лет состарились, и это
Тогда случилось в час один:
Короткое уже кончалось лето,
Дымилось тело вспаханных равнин.

Вдруг запестрела тихая дорога,
Плач полетел, серебряно звеня...
Закрыв лицо, я умоляла Бога
До первой битвы умертвить меня.

Из памяти, как груз отныне лишний,
Исчезли тени песен и страстей.
Ей — опустевшей — приказал Всевышний
Стать страшной книгой грозовых вестей.

1916

* * *

Перед весной бывают дни такие:
Под плотным снегом отдыхает луг,
Шумят деревья весело-сухие,
И теплый ветер нежен и упруг.
И легкости своей дивится тело,
И дома своего не узнаешь,
А песню ту, что прежде надоела,
Как новую, с волнением поешь.

1915

* * *

То пятое время года,
Только его славословь.
Дыши последней свободой,
Оттого что это — любовь.
Высоко небо взлетело,
Легки очертанья вещей,
И уже не празднует тело
Годовщину грусти своей.

1913

* * *

Выбрала сама я долю
Другу сердца моего:
Отпустила я на волю
В Благовещенье его.
Да вернулся голубь сизый,
Бьется крыльями в стекло.
Как от блеска дивной ризы,
Стало в горнице светло.

1915

СОН

Я знала, я снюсь тебе,
Оттого не могла заснуть.
Мутный фонарь голубел
И мне указывал путь.

Ты видел царицын сад,
Затейливый белый дворец
И черный узор оград
У каменных гулких крылец.

Ты шел, не зная пути,
И думал: «Скорей, скорей,
О, только б ее найти,
Не проснуться до встречи с ней».

А сторож у красных ворот
Окликнул тебя: «Куда!»
Хрустел и ломался лед,
Под ногами чернела вода.

«Это озеро, — думал ты, —
На озере есть островок...»
И вдруг из темноты
Поглядел голубой огонек.

В жестком свете скудного дня
Проснувшись, ты застонал
И в первый раз меня
По имени громко назвал.

1915

БЕЛЫЙ ДОМ

Морозное солнце. С парада
Идут и идут войска.
Я полдню январскому рада,
И тревога моя легка.

Здесь помню каждую ветку
И каждый силуэт.
Сквозь инея белую сетку
Малиновый каплет свет.

Здесь дом был почти что белый,
Стеклянное крыльцо.
Столько раз рукой помертвелой
Я держала звонок-кольцо.

Столько раз... Играйте, солдаты,
А я мой дом отыщу,
Узнаю по крыше покатой,
По вечному плющу.

Но кто его отодвинул,
В чужие унес города
Или из памяти вынул
Навсегда дорогу туда...

Волынки вдали замирают,
Снег летит, как вишневый цвет...
И, видно, никто не знает,
Что белого дома нет.

1914

* * *

Широк и желт вечерний свет,
Нежна апрельская прохлада.
Ты опоздал на много лет,
Но все-таки тебе я рада.

Сюда ко мне поближе сядь,
Гляди веселыми глазами:
Вот эта синяя тетрадь —
С моими детскими стихами.

Прости, что я жила скорбя
И солнцу радовалась мало.
Прости, прости, что за тебя
Я слишком многих принимала.

1915

* * *

Я не знаю, ты жив или умер, —
На земле тебя можно искать
Или только в вечерней думе
По усопшем светло горевать.

Все тебе: и молитва дневная,
И бессонницы млеющий жар,
И стихов моих белая стая,
И очей моих синий пожар.

Мне никто сокровенней не был,
Так меня никто не томил,
Даже тот, кто на муку предал,
Даже тот, кто ласкал и забыл.

1915

* * *

Нет, царевич, я не та,
Кем меня ты видеть хочешь,
И давно мои уста
Не целуют, а пророчат.

Не подумай, что в бреду
И замучена тоскою,
Громко кличу я беду:
Ремесло мое такое.

А умею научить,
Чтоб нежданное случилось,
Как навеки приручить
Ту, что мельком полюбилась.

Славы хочешь? — у меня
Попроси тогда совета,
Только это — западня,
Где ни радости, ни света.

Ну, теперь иди домой
Да забудь про нашу встречу,
А за грех твой, милый мой,
Я пред Господом отвечу.

1915

* * *

Из памяти твоей я выну этот день,
Чтоб спрашивал твой взор беспомощно-
туманный:
Где видел я персидскую сирень,
И ласточек, и домик деревянный?

О, как ты часто будешь вспоминать
Внезапную тоску неназванных желаний
И в городах задумчивых искать
Ту улицу, которой нет на плане!

При виде каждого случайного письма,
При звуке голоса за приоткрытой дверью
Ты будешь думать: «Вот она сама
Пришла на помощь моему неверью».

1915

* * *

Не хулил меня, не славил,
Как друзья и как враги.
Только душу мне оставил
И сказал: побереги.

И одно меня тревожит:
Если он теперь умрет,
Ведь ко мне Архангел Божий
За душой его придет.

Как тогда ее я спрячу,
Как от Бога утаю?
Та, что так поет и плачет,
Быть должна в Его раю.

1915

* * *

Там тень моя осталась и тоскует,
Все в той же синей комнате живет,
Гостей из города за полночь ждет
И образок эмалевый целует.
И в доме не совсем благополучно:
Огонь зажгут, а все-таки темно...
Не оттого ль хозяйке новой скучно,
Не оттого ль хозяин пьет вино
И слышит, как за тонкою стеною
Пришедший гость беседует со мною?

1917

* * *

Двадцать первое. Ночь. Понедельник.
Очертанья столицы во мгле.
Сочинил же какой-то бездельник,
Что бывает любовь на земле.

И от лености или со скуки
Все поверили, так и живут:
Ждут свиданий, боятся разлуки
И любовные песни поют.

Но иным открывается тайна,
И почиет на них тишина...
Я на это наткнулась случайно
И с тех пор все как будто больна.

1917

* * *

Небо мелкий дождик сеет
На зацветшую сирень.
За окном крылами веет
Белый, белый Духов день.

Нынче другу возвратиться
Из-за моря — крайний срок.
Все мне дальний берег снится,
Камни, башни и песок.

На одну из этих башен
Я взойду, встречая свет...
Да в стране болот и пашен
И в помине башен нет.

Только сяду на пороге,
Там еще густая тень.
Помоги моей тревоге,
Белый, белый Духов день!

1916

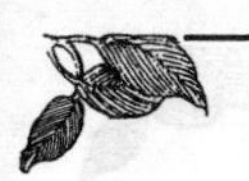

* * *

Не тайны и не печали,
Не мудрой воли судьбы –
Эти встречи всегда оставляли
Впечатление борьбы.

Я, с утра угадав минуту,
Когда ты ко мне войдешь,
Ощущала в руках согнутых
Слабо колющую дрожь.

И сухими пальцами мяла
Пеструю скатерть стола...
Я тогда уже понимала,
Как эта земля мала.

1915

МИЛОМУ

Голубя ко мне не присылай,
Писем беспокойных не пиши,
Ветром мартовским в лицо не вей.
Я вошла вчера в зеленый рай,
Где покой для тела и души
Под шатром тенистых тополей.

И отсюда вижу городок,
Будки и казармы у дворца,
Надо льдом китайский желтый мост.
Третий час меня ты ждешь — продрог,
А уйти не можешь от крыльца
И дивишься, сколько новых звезд.

Серой белкой прыгну на ольху,
Ласочкой пугливой пробегу,
Лебедью тебя я стану звать,
Чтоб не страшно было жениху
В голубом кружащемся снегу
Мертвую невесту поджидать.

1915

* * *

Как белый камень в глубине колодца,
Лежит во мне одно воспоминанье.
Я не могу и не хочу бороться:
Оно — веселье и оно — страданье.

Мне кажется, что тот, кто близко взглянет
В мои глаза, его увидит сразу.
Печальней и задумчивее станет
Внимающего скорбному рассказу.

Я ведаю, что боги превращали
Людей в предметы, не убив сознанья,
Чтоб вечно жили дивные печали.
Ты превращен в мое воспоминанье.

1916

* * *

Первый луч — благословенье Бога —
По лицу любимому скользнул,
И дремавший побледнел немного,
Но еще покойнее уснул.

Верно, поцелуем показалась
Теплота небесного луча...
Так давно губами я касалась
Милых губ и смуглого плеча...

А теперь, усопших бестелесней,
В неутешном странствии моем,
Я к нему влетаю только песней
И ласкаюсь утренним лучом.

1916

* * *

Лучше б мне частушки задорно выкликать,
А тебе на хриплой гармонике играть,

И, уйдя, обнявшись, на ночь за овсы,
Потерять бы ленту из тугой косы.

Лучше б мне ребеночка твоего качать,
А тебе полтинник в сутки выручать,

И ходить на кладбище в поминальный день
Да смотреть на белую Божию сирень.

1914

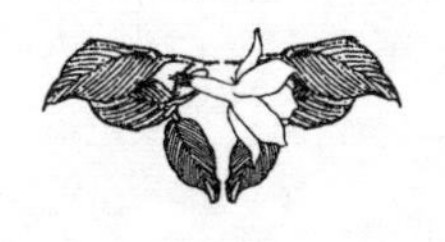

* * *

Мне не надо счастья малого,
Мужа к милой провожу
И, довольного, усталого,
Спать ребенка уложу.

Снова мне в прохладной горнице
Богородицу молить...
Трудно, трудно жить затворницей,
Да трудней веселой быть.

Только б сон приснился пламенный,
Как войду в нагорный храм,
Пятиглавый, белый, каменный,
По запомненным тропам.

1914

* * *

Еще весна таинственная млела,
Блуждал прозрачный ветер по горам,
И озеро глубокое синело —
Крестителя нерукотворный храм.

Ты был испуган нашей первой встречей,
А я уже молилась о второй,
И вот сегодня снова жаркий вечер, —
Как низко солнце стало над горой...

Ты не со мной, но это не разлука:
Мне каждый миг — торжественная весть.
Я знаю, что в тебе такая мука,
Что ты не можешь слова произнесть.

1917

* * *

Город сгинул, последнего дома
Как живое взглянуло окно...
Это место совсем незнакомо,
Пахнет гарью, и в поле темно.

Но когда грозовую завесу
Нерешительный месяц рассек,
Мы увидели: на гору, к лесу
Пробирался хромой человек.

Было страшно, что он обгоняет
Тройку сытых, веселых коней,
Постоит и опять ковыляет
Под тяжелою ношей своей.

Мы заметить почти не успели,
Как он возле кибитки возник.
Словно звезды глаза голубели,
Освещая измученный лик.

Я к нему протянула ребенка,
Поднял руку со следом оков
И промолвил мне благостно-звонко:
«Будет сын твой и жив и здоров!»

1916

Не бывать тебе в живых

* * *

Сразу стало тихо в доме,
Облетел последний мак,
Замерла я в долгой дреме
И встречаю ранний мрак.

Плотно заперты ворота,
Вечер черен, ветер тих.
Где веселье, где забота,
Где ты, ласковый жених?

Не нашелся тайный перстень,
Прождала я много дней,
Нежной пленницею песня
Умерла в груди моей.

1917

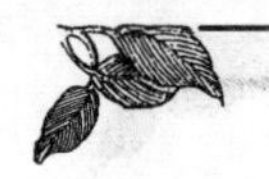

* * *

Ты — отступник: за остров зеленый
Отдал, отдал родную страну,
Наши песни, и наши иконы,
И над озером тихим сосну.

Для чего ты, лихой ярославец,
Коль еще не лишился ума,
Загляделся на рыжих красавиц
И на пышные эти дома?

Так теперь и кощунствуй, и чванься,
Православную душу губи,
В королевской столице останься
И свободу свою полюби.

Для чего ж ты приходишь и стонешь
Под высоким окошком моим?
Знаешь сам, ты и в море не тонешь,
И в смертельном бою невредим.

Да, не страшны ни море, ни битвы
Тем, кто сам потерял благодать.
Оттого-то во время молитвы
Попросил ты тебя поминать.

1917

* * *

Просыпаться на рассвете
Оттого, что радость душит,
И глядеть в окно каюты
На зеленую волну,
Иль на палубе в ненастье,
В мех закутавшись пушистый,
Слушать, как стучит машина,
И не думать ни о чем,
Но, предчувствуя свиданье
С тем, кто стал моей звездою,
От соленых брызг и ветра
С каждым часом молодеть.

1917

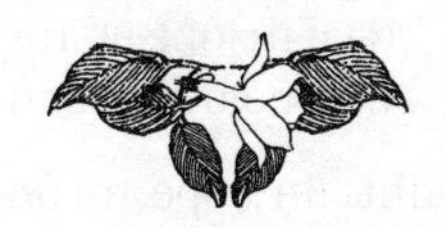

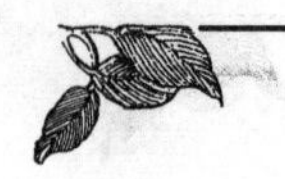

* * *

И в тайную дружбу с высоким,
Как юный орел, темноглазым,
Я, словно в цветник предосенний,
Походкою легкой вошла.
Там были последние розы,
И месяц прозрачный качался
На серых, густых облаках...

1917

* * *

Словно ангел, возмутивший воду,
Ты взглянул тогда в мое лицо,
Возвратил и силу, и свободу,
А на память чуда взял кольцо.
Мой румянец жаркий и недужный
Стерла богомольная печаль.
Памятным мне будет месяц вьюжный,
Северный встревоженный февраль.

1916

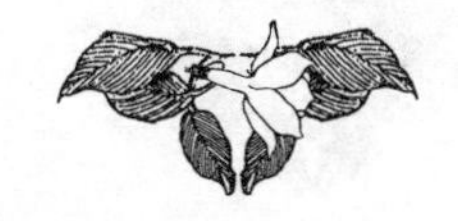

* * *

Когда о горькой гибели моей
Весть поздняя его коснется слуха,
Не станет он ни строже, ни грустней,
Но, побледневши, улыбнется сухо.
И сразу вспомнит зимний небосклон
И вдоль Невы несущуюся вьюгу,
И сразу вспомнит, как поклялся он
Беречь свою восточную подругу.

1917

* * *

Пленник чужой! Мне чужого не надо,
Я и своих-то устала считать.
Так отчего же такая отрада
Эти вишневые видеть уста?

Пусть он меня и хулит, и бесславит,
Слышу в словах его сдавленный стон.
Нет, он меня никогда не заставит
Думать, что страстно в другую влюблен.

И никогда не поверю, что можно
После небесной и тайной любви
Снова смеяться и плакать тревожно
И проклинать поцелуи мои.

1917

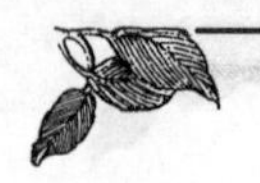

* * *

Я спросила у кукушки,
Сколько лет я проживу...
Сосен дрогнули верхушки,
Желтый луч упал в траву.
Но ни звука в чаще свежей...
Я иду домой,
И прохладный ветер нежит
Лоб горячий мой.

1919

* * *

По неделе ни слова ни с кем не скажу,
Все на камне у моря сижу,
И мне любо, что брызги зеленой волны,
Словно слезы мои, солоны.
Были весны и зимы, да что-то одна
Мне запомнилась только весна.
Стали ночи теплее, подтаивал снег,
Вышла я поглядеть на луну,
И спросил меня тихо чужой человек,
Между сосенок встретив одну:
«Ты не та ли, кого я повсюду ищу,
О которой с младенческих лет,
Как о милой сестре, веселюсь и грущу?»
Я чужому ответила: «Нет!»
А как свет поднебесный его озарил,
Я дала ему руки мои,
И он перстень таинственный мне подарил,
Чтоб меня уберечь от любви.
И назвал мне четыре приметы страны,
Где мы встретиться снова должны:
Море, круглая бухта, высокий маяк,
А всего непременней — полынь...
И как жизнь началась, пусть
и кончится так.
Я сказала, что знаю: аминь!

1916

* * *

В каждых сутках есть такой
Смутный и тревожный час.
Громко говорю с тоской,
Не раскрывши сонных глаз,
И она стучит, как кровь,
Как дыхание тепла,
Как счастливая любовь,
Рассудительна и зла.

1917

* * *

Земная слава как дым,
Не этого я просила.
Любовникам всем моим
Я счастие приносила.
Один и сейчас живой,
В свою подругу влюбленный,
И бронзовым стал другой
На площади оснеженной.

1914

* * *

Это просто, это ясно,
Это всякому понятно,
Ты меня совсем не любишь,
Не полюбишь никогда.
Для чего же так тянуться
Мне к чужому человеку,
Для чего же каждый вечер
Мне молиться за тебя?
Для чего же, бросив друга
И кудрявого ребенка,
Бросив город мой любимый
И родную сторону,
Черной нищенкой скитаюсь
По столице иноземной?
О, как весело мне думать,
Что тебя увижу я!

1917

* * *

Я слышу иволги всегда печальный голос
И лета пышного приветствую ущерб,
А к колосу прижатый тесно колос
С змеиным свистом срезывает серп.

И стройных жниц короткие подолы,
Как флаги в праздник, по ветру летят.
Теперь бы звон бубенчиков веселых,
Сквозь пыльные ресницы долгий взгляд.

Не ласки жду я, не любовной лести
В предчувствии неотвратимой тьмы,
Но приходи взглянуть на рай, где вместе
Блаженны и невинны были мы.

1917

* * *

Как страшно изменилось тело,
Как рот измученный поблек!
Я смерти не такой хотела,
Не этот назначала срок.
Казалось мне, что туча с тучей
Сшибется где-то в вышине
И молнии огонь летучий,
И голос радости могучей,
Как ангелы, сойдут ко мне.

1913

* * *

Я окошка не завесила,
Прямо в горницу гляди.
Оттого мне нынче весело,
Что не можешь ты уйти.
Называй же беззаконницей,
Надо мной глумись со зла:
Я была твоей бессонницей,
Я тоской твоей была.

1916

* * *

Эта встреча никем не воспета,
И без песен печаль улеглась.
Наступило прохладное лето,
Словно новая жизнь началась.

Сводом каменным кажется небо,
Уязвленное желтым огнем,
И нужнее насущного хлеба
Мне единое слово о нем.

Ты, росой окропляющий травы,
Вестью душу мою оживи, —
Не для страсти, не для забавы,
Для великой земной любви.

1916

* * *

И вот одна осталась я
Считать пустые дни.
О вольные мои друзья,
О лебеди мои!

И песней я не скличу вас,
Слезами не верну.
Но вечером в печальный час
В молитве помяну.

Настигнут смертною стрелой,
Один из вас упал,
И черным вороном другой,
Меня целуя, стал.

Но так бывает: раз в году,
Когда растает лед,
В Екатеринином саду
Стою у чистых вод

И слышу плеск широких крыл
Над гладью голубой.
Не знаю, кто окно раскрыл
В темнице гробовой.

1916

* * *

Почернел, искривился бревенчатый мост,
И стоят лопухи в человеческий рост,
И крапивы дремучей поют леса,
Что по ним не пройдет, не блеснет коса.
Вечерами над озером слышен вздох,
И по стенам расползся корявый мох.

Я встречала там
Двадцать первый год.
Сладок был устам
Черный душный мед.

Сучья рвали мне
Платья белый шелк,
На кривой сосне
Соловей не молк.

На условный крик
Выйдет из норы,
Словно леший дик,
А нежней сестры.

На гору бегом,
Через речку вплавь,
Да зато потом
Не скажу: оставь.

1917

* * *

Тот август, как желтое пламя,
Пробившееся сквозь дым,
Тот август поднялся над нами,
Как огненный серафим.

И в город печали и гнева
Из тихой Карельской земли
Мы двое — воин и дева —
Студеным утром вошли.

Что сталось с нашей столицей,
Кто солнце на землю низвел?
Казался летящей птицей
На штандарте черный орел.

На дикий лагерь похожим
Стал город пышных смотров,
Слепило глаза прохожим
Сверканье пик и штыков.

И серые пушки гремели
На Троицком гулком мосту,
А липы еще зеленели
В таинственном Летнем саду.

И брат мне сказал: «Настали
Для меня великие дни.

Теперь ты наши печали
И радость одна храни».

Как будто ключи оставил
Хозяйке усадьбы своей,
А ветер восточный славил
Ковыли приволжских степей.

1915

ПРИЗРАК

Зажженных рано фонарей
Шары висячие скрежещут,
Все праздничнее, все светлей
Снежинки, пролетая, блещут.

И, ускоряя ровный бег,
Как бы в предчувствии погони,
Сквозь мягко падающий снег
Под синей сеткой мчатся кони.

И раззолоченный гайдук
Стоит недвижно за санями,
И странно царь глядит вокруг
Пустыми светлыми глазами.

1919

ТРИ СТИХОТВОРЕНИЯ

1

Да, я любила их, те сборища ночные,
На маленьком столе стаканы ледяные,
Над черным кофеем пахучий, тонкий пар,
Камина красного тяжелый, зимний жар,
Веселость едкую литературной шутки
И друга первый взгляд, беспомощный
и жуткий.

2

Соблазна не было. Соблазн в тиши живет,
Он постника томит, святителя гнетет
И в полночь майскую над молодой
черницей
Кричит истомно раненой орлицей.
А сим распутникам, сим грешницам
любезным
Неведомо объятье рук железных.

3

Не оттого ль, уйдя от легкости проклятой,
Смотрю взволнованно на темные палаты?
Уже привыкшая к высоким, чистым звонам,
Уже судимая не по земным законам,

Я, как преступница, еще влекусь туда,
На место казни долгой и стыда.
И вижу дивный град, и слышу голос милый,
Как будто нет еще таинственной могилы,
Где у креста, склонясь, в жары и холода,
Должна я ожидать последнего суда.

1917

КОЛЫБЕЛЬНАЯ

Далеко в лесу огромном,
Возле синих рек,
Жил с детьми в избушке темной
Бедный дровосек.

Младший сын был ростом с пальчик, –
Как тебя унять,
Спи, мой тихий, спи, мой мальчик,
Я дурная мать.

Долетают редко вести
К нашему крыльцу.
Подарили белый крестик
Твоему отцу.

Было горе, будет горе,
Горю нет конца,
Да хранит святой Егорий
Твоего отца.

1915

* * *

Чем хуже этот век предшествующих? Разве
Тем, что в чаду печали и тревог
Он к самой черной прикоснулся язве,
Но исцелить ее не мог.

Еще на западе земное солнце светит
И кровли городов в его лучах блестят,
А здесь уж белая дома крестами метит
И кличет воронов, и вороны летят.

1919

* * *

Теперь никто не станет слушать песен.
Предсказанные наступили дни.
Моя последняя, мир больше не чудесен,
Не разрывай мне сердца, не звени.

Еще недавно ласточкой свободной
Свершала ты свой утренний полет,
А ныне станешь нищенкой голодной,
Не достучишься у чужих ворот.

1917

* * *

По твердому гребню сугроба
В твой белый, таинственный дом,
Такие притихшие оба,
В молчании нежном идем.
И слаще всех песен пропетых
Мне этот исполненный сон,
Качание веток задетых
И шпор твоих легонький звон.

1917

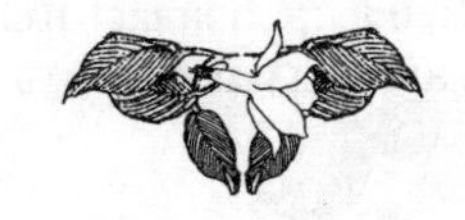

НОЧЬЮ

Стоит на небе месяц, чуть живой,
Средь облаков струящихся и мелких,
И у дворца угрюмый часовой
Глядит, сердясь, на башенные стрелки.

Идет домой неверная жена,
Ее лицо задумчиво и строго,
А верную в тугих объятьях сна
Сжигает негасимая тревога.

Что мне до них? Семь дней тому назад,
Вздохнувши, я прости сказала миру.
Но душно там, и я пробралась в сад
Взглянуть на звезды и потрогать лиру.

1918

* * *

Течет река неспешно по долине,
Многооконный на пригорке дом.
А мы живем как при Екатерине:
Молебны служим, урожая ждем.
Перенеся двухдневную разлуку,
К нам едет гость вдоль нивы золотой,
Целует бабушке в гостиной руку
И губы мне на лестнице крутой.

1917

* * *

Мне голос был. Он звал утешно,
Он говорил: «Иди сюда,
Оставь свой край глухой и грешный,
Оставь Россию навсегда.

Я кровь от рук твоих отмою,
Из сердца выну черный стыд,
Я новым именем покрою
Боль поражений и обид».

Но равнодушно и спокойно
Руками я замкнула слух,
Чтоб этой речью недостойной
Не осквернился скорбный дух.

1917

БЕЖЕЦК

Там белые церкви и звонкий, светящийся лед,
Там милого сына цветут васильковые очи.
Над городом древним алмазные русские ночи
И серп поднебесный желтее, чем липовый мед.

Там вьюги сухие взлетают с заречных полей
И люди, как ангелы, Божьему празднику рады,
Прибрали светлицу, зажгли у киота лампады,
И Книга Благая лежит на дубовом столе.

Там строгая память, такая скупая теперь,
Свои терема мне открыла с глубоким
поклоном;
Но я не вошла, я захлопнула
страшную дверь...
И город был полон веселым
рождественским звоном.

1921

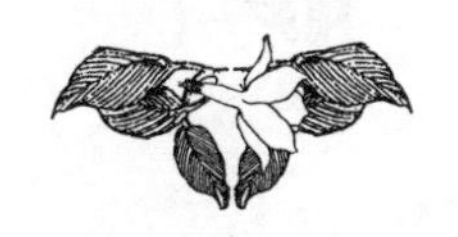

ПРЕДСКАЗАНИЕ

Видел я тот венец златокованный...
Не завидуй такому венцу!
Оттого, что и сам он ворованный,
И тебе он совсем не к лицу.
Туго согнутой веткой терновою
Мой венец на тебе заблестит.
Ничего, что росою багровою
Он изнеженный лоб освежит.

1922

ДРУГОЙ ГОЛОС

1

Я с тобой, мой ангел, не лукавил,
Как же вышло, что тебя оставил
За себя заложницей в неволе
Всей земной непоправимой боли?
Под мостами полыньи дымятся,
Над кострами искры золотятся,
Грузный ветер окаянно воет,
И шальная пуля за Невою
Ищет сердце бедное твое.
И одна в дому оледенелом,
Белая, лежишь в сиянье белом,
Славя имя горькое мое.

2

В тот давний год, когда зажглась любовь,
Как крест престольный, в сердце
обреченном,
Ты кроткою голубкой не прильнула
К моей груди, но коршуном когтила.
Изменой первою, вином проклятья
Ты напоила друга своего.
Но час настал в зеленые глаза
Тебе глядеться, у жестоких губ

Молить напрасно сладостного дара
И клятв таких, каких ты не слыхала,
Каких еще никто не произнес.
Так отравивший воду родника
Для вслед за ним идущего в пустыне
Сам заблудился и, возжаждав сильно,
Источника во мраке не узнал.
Он гибель пьет, прильнув к воде
прохладной,
Но гибелью ли жажду утолить?

1921

* * *

Сказал, что у меня соперниц нет.
Я для него не женщина земная,
А солнца зимнего утешный свет
И песня дикая родного края.
Когда умру, не станет он грустить,
Не крикнет, обезумевши: «Воскресни!»
Но вдруг поймет, что невозможно жить
Без солнца телу и душе без песни.

...А что теперь?

1921

* * *

Земной отрадой сердца не томи,
Не пристращайся ни к жене, ни к дому,
У своего ребенка хлеб возьми,
Чтобы отдать его чужому.

И будь слугой смиреннейшим того,
Кто был твоим кромешным супостатом,
И назови лесного зверя братом,
И не проси у Бога ничего.

1921

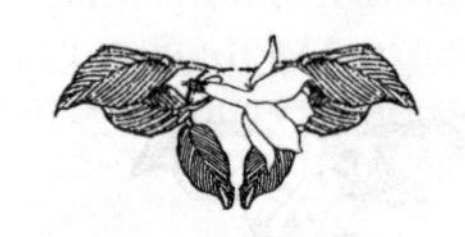

ЧЕРНЫЙ СОН

1

Косноязычно славивший меня
Еще топтался на краю эстрады.
От дыма сизого и тусклого огня
Мы все уйти, конечно, были рады.

Но в путаных словах вопрос зажжен,
Зачем не стала я звездой любовной,
И стыдной болью был преображен
Над нами лик жестокий и бескровный.

Люби меня, припоминай и плачь!
Все плачущие не равны ль пред Богом?
Мне снится, что меня ведет палач
По голубым предутренним дорогам.

1913

2

Ты всегда таинственный и новый,
Я тебе послушней с каждым днем.
Но любовь твоя, о друг суровый,
Испытание железом и огнем.

Запрещаешь петь и улыбаться,
А молиться запретил давно.
Только б мне с тобою не расстаться,
Остальное все равно!

Так, земле и небесам чужая,
Я живу и больше не пою,
Словно ты у ада и у рая
Отнял душу вольную мою.

1917

3

От любви твоей загадочной,
Как от боли, в крик кричу,
Стала желтой и припадочной,
Еле ноги волочу.

Новых песен не насвистывай, —
Песней долго ль обмануть,
Но когти, когти неистовей
Мне чахоточную грудь,

Чтобы кровь из горла хлынула
Поскорее на постель,
Чтобы смерть из сердца вынула
Навсегда проклятый хмель.

1918

4

Проплывают льдины, звеня,
Небеса безнадежно бледны.
Ах, за что ты караешь меня,
Я не знаю моей вины.

Если надо — меня убей,
Но не будь со мною суров.
От меня не хочешь детей
И не любишь моих стихов.

Все по-твоему будет: пусть!
Обету верна своему,
Отдала тебе жизнь, но грусть
Я в могилу с собой возьму.

1918

5

ТРЕТИЙ ЗАЧАТЬЕВСКИЙ

Переулочек, переул...
Горло петелькой затянул.

Тянет свежесть с Москва-реки,
В окнах теплятся огоньки.

Покосился гнилой фонарь —
С колокольни идет звонарь...

Как по левой руке — пустырь,
А по правой руке — монастырь,

А напротив — высокий клен,
Красным заревом обагрен.

Мне бы тот найти образок,
Оттого что мой близок срок.

Мне бы снова мой черный платок,
Мне бы невской воды глоток.

1922

6

Тебе покорной? Ты сошел с ума!
Покорна я одной Господней воле.
Я не хочу ни трепета, ни боли,
Мне муж — палач, а дом его — тюрьма.

Но видишь ли! Ведь я пришла сама...
Декабрь рождался, ветры выли в поле,
И было так светло в твоей неволе,
А за окошком сторожила тьма.

Так птица о прозрачное стекло
Всем телом бьется в зимнее ненастье,
И кровь пятнает белое крыло.

Теперь во мне спокойствие и счастье.
Прощай, мой тихий, ты мне вечно мил
За то, что в дом свой странницу пустил.

1921

* * *

Что ты бродишь, неприкаянный,
Что глядишь ты не дыша?
Верно, понял: крепко спаяна
На двоих одна душа.
Будешь, будешь мной утешенным,
Как не снилось никому,
А обидишь словом бешеным —
Станет больно самому.

1922

* * *

Веет ветер лебединый,
Небо синее в крови.
Наступают годовщины
Первых дней твоей любви.

Ты мои разрушил чары,
Годы плыли как вода.
Отчего же ты не старый,
А такой, как был тогда?

Даже звонче голос нежный,
Только времени крыло
Осенило славой снежной
Безмятежное чело.

1922

* * *

Ангел, три года хранивший меня,
Вознесся в лучах и огне,
Но жду терпеливо сладчайшего дня,
Когда он вернется ко мне.

Как щеки запали, бескровны уста,
Лица не узнать моего;
Ведь я не прекрасная больше, не та,
Что песней смутила его.

Давно на земле ничего не боюсь,
Прощальные помня слова.
Я в ноги ему, как войдет, поклонюсь,
А прежде кивала едва.

1921

* * *

Шепчет: «Я не пожалею
Даже то, что так люблю, —
Или будь совсем моею,
Или я тебя убью».
Надо мной жужжит, как овод,
Непрестанно столько дней
Этот самый скучный довод
Черной ревности твоей.
Горе душит — не задушит,
Вольный ветер слезы сушит,
А веселье, чуть погладит,
Сразу с бедным сердцем сладит.

1922

* * *

Слух чудовищный бродит по городу,
Забирается в домы, как тать.
Уж не сказку ль про Синюю Бороду
Перед тем, как засну, почитать?

Как седьмая всходила на лестницу,
Как сестру молодую звала,
Милых братьев иль страшную вестницу,
Затаивши дыханье, ждала...

Пыль взметается тучею снежною,
Скачут братья на замковый двор,
И над шеей безвинной и нежною
Не подымется скользкий топор.

Этой сказочкой нынче утешена,
Я, наверно, спокойно усну.
Что же сердце колотится бешено,
Что же вовсе не клонит ко сну?

1922

* * *

Пятым действием драмы
Веет воздух осенний,
Каждая клумба в парке
Кажется свежей могилой.
Справлена чистая тризна,
И больше нечего делать.
Что же я медлю, словно
Скоро свершится чудо?
Так тяжелую лодку долго
У пристани слабой рукою
Удерживать можно, прощаясь
С тем, кто остался на суше.

1921

* * *

Заболеть бы как следует, в жгучем бреду
Повстречаться со всеми опять,
В полном ветра и солнца приморском саду
По широким аллеям гулять.

Даже мертвые нынче согласны прийти,
И изгнанники в доме моем.
Ты ребенка за ручку ко мне приведи,
Так давно я скучаю о нем.

Буду с милыми есть голубой виноград,
Буду пить ледяное вино
И глядеть, как струится седой водопад
На кремнистое влажное дно.

1922

* * *

За озером луна остановилась
И кажется отворенным окном
В притихший, ярко освещенный дом,
Где что-то нехорошее случилось.

Хозяина ли мертвым привезли,
Хозяйка ли с любовником сбежала,
Иль маленькая девочка пропала
И башмачок у заводи нашли...

С земли не видно. Страшную беду
Почувствовав, мы сразу замолчали.
Заупокойно филины кричали,
И душный ветер буйствовал в саду.

1922

БИБЛЕЙСКИЕ СТИХИ

1. РАХИЛЬ

И служил Иаков за Рахиль семь лет; и они показались ему за несколько дней, потому что он любил ее.

Книга Бытия

И встретил Иаков в долине Рахиль.
Он ей поклонился, как странник бездомный.
Стада подымали горячую пыль,
Источник был камнем завален огромным.
Он камень своею рукой отвалил
И чистой водою овец напоил.

Но стало в груди его сердце грустить,
Болеть, как открытая рана,
И он согласился за деву служить
Семь лет — пастухом у Лавана.
Рахиль! Для того, кто во власти твоей,
Семь лет, словно семь ослепительных дней.

Но много премудр сребролюбец Лаван,
И жалость ему незнакома.
Он думает: каждый простится обман
Во славу Лаванова дома.

И Лию незрячую твердой рукой
Приводит к Иакову в брачный покой.

Течет над пустыней высокая ночь,
Роняет прохладные росы,
И стонет Лаванова младшая дочь,
Терзая пушистые косы.
Сестру проклинает, и Бога хулит,
И ангелу смерти явиться велит.

И снится Иакову сладостный час:
Прозрачный источник долины,
Веселые взоры Рахилиных глаз
И голос ее голубиный:
Иаков, не ты ли меня целовал
И черной голубкой своей называл?

1921

2. ЛОТОВА ЖЕНА

Жена же Лотова оглянулась позади его
и стала соляным столпом.

Книга Бытия

И праведник шел за посланником Бога,
Огромный и светлый, по черной горе.
Но громко жене говорила тревога:
Не поздно, ты можешь еще посмотреть
На красные башни родного Содома,
На площадь, где пела, на двор, где пряла,
На окна пустые высокого дома,
Где милому мужу детей родила.
Взглянула — и, скованы смертною болью,
Глаза ее больше смотреть не могли;

И сделалось тело прозрачною солью,
И быстрые ноги к земле приросли.

Кто женщину эту оплакивать будет?
Не меньшей ли мнится она из утрат?
Лишь сердце мое никогда не забудет
Отдавшую жизнь за единственный взгляд.

1922—1924

ПРИЧИТАНИЕ

В. А. Щеголевой

Господеви поклонитеся
Во Святем Дворе Его.
Спит юродивый на паперти,
На него глядит звезда.
И, крылом задетый ангельским,
Колокол заговорил
Не набатным, грозным голосом,
А прощаясь навсегда.
И выходят из обители,
Ризы древние отдав,
Чудотворцы и святители,
Опираясь на клюки.
Серафим — в леса Саровские
Стадо сельское пасти,
Анна — в Кашин, уж не княжити,
Лен колючий теребить.
Провожает Богородица,
Сына кутает в платок,
Старой нищенкой оброненный
У Господнего крыльца.

1922

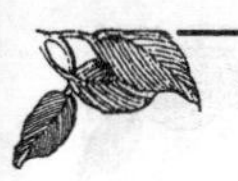

* * *

Вот и берег северного моря,
Вот граница наших бед и слав, —
Не пойму, от счастья или горя
Плачешь ты, к моим ногам припав.
Мне не надо больше обреченных —
Пленников, заложников, рабов,
Только с милым мне и непреклонным
Буду я делить и хлеб, и кров.

1922

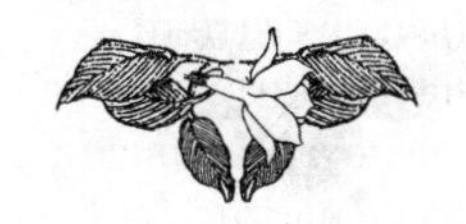

* * *

Хорошо здесь: и шелест, и хруст;
С каждым утром сильнее мороз,
В белом пламени клонится куст
Ледяных ослепительных роз.
И на пышных парадных снегах
Лыжный след, словно память о том,
Что в каких-то далеких веках
Здесь с тобою прошли мы вдвоем.

1922

СКАЗКА О ЧЕРНОМ КОЛЬЦЕ

1

Мне от бабушки-татарки
Были редкостью подарки;
И зачем я крещена,
Горько гневалась она.
А пред смертью подобрела
И впервые пожалела,
И вздохнула: «Ах, года!
Вот и внучка молода».
И, простивши нрав мой вздорный,
Завещала перстень черный.
Так сказала: «Он по ней,
С ним ей будет веселей».

2

Я друзьям моим сказала:
«Горя много, счастья мало» —
И ушла, закрыв лицо;
Потеряла я кольцо.
И друзья мои сказали:
«Мы кольцо везде искали,
Возле моря на песке
И меж сосен на лужке».
И, догнав меня в аллее,
Тот, кто был других смелее,

Уговаривал меня
Подождать до склона дня.
Я совету удивилась
И на друга рассердилась,
Что глаза его нежны:
«И на что вы мне нужны?
Только можете смеяться,
Друг пред другом похваляться
Да цветы сюда носить».
Всем велела уходить.

3

И, придя в свою светлицу,
Застонала хищной птицей,
Повалилась на кровать
Сотый раз припоминать:
Как за ужином сидела,
В очи темные глядела,
Как не ела, не пила
У дубового стола,
Как под скатертью узорной
Протянула перстень черный,
Как взглянул в мое лицо,
Встал и вышел на крыльцо.
....

Не придут ко мне с находкой!
Далеко над быстрой лодкой
Заалели небеса,
Забелели паруса.

1917—1936

* * *

Небывалая осень построила купол высокий,
Был приказ облакам этот купол собой
не темнить.
И дивилися люди: проходят сентябрьские
сроки,
А куда провалились студеные, влажные дни?
Изумрудною стала вода замутненных каналов,
И крапива запахла, как розы, но только
сильней.
Было душно от зорь, нестерпимых, бесовских
и алых,
Их запомнили все мы до конца наших дней.
Было солнце таким, как вошедший в столицу
мятежник,
И весенняя осень так жадно ласкалась к нему,
Что казалось — сейчас забелеет прозрачный
подснежник...
Вот когда подошел ты, спокойный,
к крыльцу моему.

1922

* * *

Наталии Рыковой

Все расхищено, предано, продано,
Черной смерти мелькало крыло,
Все голодной тоскою изглодано,
Отчего же нам стало светло?

Днем дыханьями веет вишневыми
Небывалый под городом лес,
Ночью блещет созвездьями новыми
Глубь прозрачных июльских небес, –

И так близко подходит чудесное
К развалившимся грязным домам...
Никому, никому не известное,
Но от века желанное нам.

1921

* * *

Сослужу тебе верную службу, —
Ты не бойся, что горько люблю!
Я за нашу веселую дружбу
Всех святителей нынче молю.

За тебя отдала первородство
И взамен ничего не прошу,
Оттого и лохмотья сиротства
Я как брачные ризы ношу.

1921

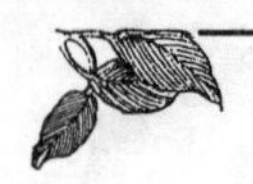

* * *

Нам встречи нет. Мы в разных станах,
Туда ль зовешь меня, наглец,
Где брат поник в кровавых ранах,
Приявши ангельский венец?
И ни молящие улыбки,
Ни клятвы дикие твои,
Ни призрак млеющий и зыбкий
Моей счастливейшей любви
Не обольстят...

1921

* * *

Страх, во тьме перебирая вещи,
Лунный луч наводит на топор.
За стеною слышен звук зловещий –
Что там, крысы, призрак или вор?

В душной кухне плещется водою,
Половицам шатким счет ведет,
С глянцевитой черной бородою
За окном чердачным промелькнет –

И притихнет. Как он зол и ловок,
Спички спрятал и свечу задул.
Лучше бы поблескиванье дул
В грудь мою направленных винтовок,

Лучше бы на площади зеленой
На помост некрашеный прилечь
И под клики радости и стоны
Красной кровью до конца истечь.

Прижимаю к сердцу крестик гладкий:
Боже, мир душе моей верни!
Запах тленья обморочно сладкий
Веет от прохладной простыни.

1921

* * *

Кое-как удалось разлучиться
И постылый огонь потушить.
Враг мой вечный, пора научиться
Вам кого-нибудь вправду любить.

Я-то вольная. Все мне забава, –
Ночью Муза слетит утешать,
А наутро притащится слава
Погремушкой над ухом трещать.

Обо мне и молиться не стоит
И, уйдя, оглянуться назад...
Черный ветер меня успокоит,
Веселит золотой листопад.

Как подарок, приму я разлуку
И забвение, как благодать.
Но, скажи мне, на крестную муку
Ты другую посмеешь послать?

1921

* * *

А, ты думал — я тоже такая,
Что можно забыть меня
И что брошусь, моля и рыдая,
Под копыта гнедого коня.

Или стану просить у знахарок
В наговорной воде корешок
И пришлю тебе страшный подарок —
Мой заветный душистый платок.

Будь же проклят. Ни стоном,
ни взглядом
Окаянной души не коснусь,
Но клянусь тебе ангельским садом,
Чудотворной иконой клянусь
И ночей наших пламенных чадом —
Я к тебе никогда не вернусь.

1921

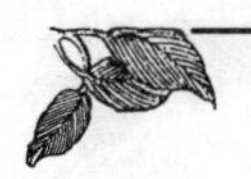

* * *

Чугунная ограда,
Сосновая кровать.
Как сладко, что не надо
Мне больше ревновать.

Постель мне стелют эту
С рыданьем и мольбой;
Теперь гуляй по свету
Где хочешь, Бог с тобой!

Теперь твой слух не ранит
Неистовая речь,
Теперь никто не станет
Свечу до утра жечь.

Добились мы покою
И непорочных дней...
Ты плачешь — я не стою
Одной слезы твоей.

1921

* * *

Пива светлого наварено,
На столе дымится гусь...
Поминать царя да барина
Станет праздничная Русь —

Крепким словом, прибауткою
За беседою хмельной;
Тот — забористою шуткою,
Этот — пьяною слезой.

И несутся речи шумные
От гульбы да от вина...
Порешили люди умные:
— Наше дело — сторона.

1921

* * *

А Смоленская нынче именинница,
Синий ладан над травою стелется,
И струится пенье панихидное,
Не печальное нынче, а светлое.
И приводят румяные вдовушки
На кладбище мальчиков и девочек
Поглядеть на могилы отцовские,
А кладбище — роща соловьиная,
От сиянья солнечного замерло.
Принесли мы Смоленской Заступнице,
Принесли Пресвятой Богородице
На руках во гробе серебряном
Наше солнце, в муке погасшее, —
Александра, лебедя чистого.

1921

* * *

О.А. Глебовой-Судейкиной

Пророчишь, горькая, и руки уронила,
Прилипла прядь волос к бескровному челу,
И улыбаешься — о, не одну пчелу
Румяная улыбка соблазнила
И бабочку смутила не одну.

Как лунные глаза светлы и напряженно
Далеко видящий остановился взор.
То мертвому ли сладостный укор,
Или живым прощаешь благосклонно
Твое изнеможенье и позор?

1921

* * *

Не бывать тебе в живых,
Со снегу не встать.
Двадцать восемь штыковых,
Огнестрельных пять.
Горькую обновушку
Другу шила я.
Любит, любит кровушку
Русская земля.

1921

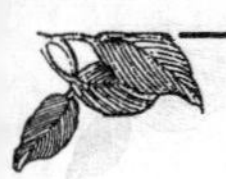

* * *

Пока не свалюсь под забором
И ветер меня не добьет,
Мечта о спасении скором
Меня, как проклятие, жжет.

Упрямая, жду, что случится,
Как в песне случится со мной,
Уверенно в дверь постучится
И, прежний, веселый, дневной,

Войдет он и скажет: «Довольно,
Ты видишь, я тоже простил».
Не будет ни страшно, ни больно...
Ни роз, ни архангельских сил.

Затем и в беспамятстве смуты
Я сердце мое берегу,
Что смерти без этой минуты
Представить себе не могу.

1921

* * *

На пороге белом рая,
Оглянувшись, крикнул: «Жду!»
Завещал мне, умирая,
Благостность и нищету.

И когда прозрачно небо,
Видит, крыльями звеня,
Как делюсь я коркой хлеба
С тем, кто просит у меня.

А когда, как после битвы,
Облака плывут в крови,
Слышит он мои молитвы
И слова моей любви.

1921

* * *

Я гибель накликала милым,
И гибли один за другим.
О, горе мне! Эти могилы
Предсказаны словом моим.
Как вороны кружатся, чуя
Горячую, свежую кровь,
Так дикие песни, ликуя,
Моя насылала любовь.
С тобою мне сладко и знойно,
Ты близок, как сердце в груди.
Дай руки мне, слушай спокойно.
Тебя заклинаю: уйди.
И пусть не узнаю я, где ты,
О Муза, его не зови,
Да будет живым, невоспетым
Моей не узнавший любви.

1921

КЛЕВЕТА

И всюду клевета сопутствовала мне.
Ее ползучий шаг я слышала во сне
И в мертвом городе под беспощадным небом,
Скитаясь наугад за кровом и за хлебом.
И отблески ее горят во всех глазах,
То как предательство, то как невинный страх.
Я не боюсь ее. На каждый вызов новый
Есть у меня ответ достойный и суровый.
Но неизбежный день уже предвижу я, —
На утренней заре придут ко мне друзья,
И мой сладчайший сон рыданьем
потревожат,
И образок на грудь остывшую положат.
Никем не знаема тогда она войдет,
В моей крови ее неутоленный рот
Считать не устает небывшие обиды,
Вплетая голос свой в моленья панихиды.
И станет внятен всем ее постыдный бред,
Чтоб на соседа глаз не мог поднять сосед,
Чтоб в страшной пустоте мое осталось тело,
Чтобы в последний раз душа моя горела
Земным бессилием, летя в рассветной мгле,
И дикой жалостью к оставленной земле.

1921

* * *

Заплаканная осень, как вдова
В одеждах черных, все сердца туманит...
Перебирая мужнины слова,
Она рыдать не перестанет.
И будет так, пока тишайший снег
Не сжалится над скорбной и усталой...
Забвенье боли и забвенье нег —
За это жизнь отдать не мало.

1921

* * *

О, знала ль я, когда в одежде белой
Входила Муза в тесный мой приют,
Что к лире, навсегда окаменелой,
Мои живые руки припадут.

О, знала ль я, когда неслась, играя,
Моей любви последняя гроза,
Что лучшему из юношей, рыдая,
Закрою я орлиные глаза.

О, знала ль я, когда, томясь успехом,
Я искушала дивную судьбу,
Что скоро люди беспощадным смехом
Ответят на предсмертную мольбу.

1925

НОВОГОДНЯЯ БАЛЛАДА

И месяц, скучая в облачной мгле,
Бросил в горницу тусклый взор.
Там шесть приборов стоят на столе,
И один только пуст прибор.

Это муж мой, и я, и друзья мои
Встречаем Новый год.
Отчего мои пальцы словно в крови
И вино, как отрава, жжет?

Хозяин, поднявши полный стакан,
Был важен и недвижим:
«Я пью за землю родных полян,
В которой мы все лежим!»

А друг, поглядевши в лицо мое
И вспомнив Бог весть о чем,
Воскликнул: «А я за песни ее,
В которых мы все живем!»

Но третий, не знавший ничего,
Когда он покинул свет,
Мыслям моим в ответ
Промолвил: «Мы выпить должны
за того,
Кого еще с нами нет».

1923

* * *

В том доме было очень страшно жить,
И ни камина свет патриархальный,
Ни колыбелька моего ребенка,
Ни то, что оба молоды мы были
И замыслов исполнены,
Не уменьшало это чувство страха.
И я над ним смеяться научилась
И оставляла капельку вина
И крошки хлеба для того, кто ночью
Собакою царапался у двери
Иль в низкое заглядывал окошко,
В то время как мы, замолчав, старались
Не видеть, что творится в зазеркалье,
Под чьими тяжеленными шагами
Стонали темной лестницы ступени,
Как о пощаде жалостно моля.
И говорил ты, странно улыбаясь:
«Кого они по лестнице несут?»
Теперь ты там, где знают все, скажи:
Что в этом доме жило кроме нас?

1921

* * *

Не с теми я, кто бросил землю
На растерзание врагам.
Их грубой лести я не внемлю,
Им песен я своих не дам.

Но вечно жалок мне изгнанник,
Как заключенный, как больной.
Темна твоя дорога, странник,
Полынью пахнет хлеб чужой.

А здесь, в глухом чаду пожара,
Остаток юности губя,
Мы ни единого удара
Не отклонили от себя.

И знаем, что в оценке поздней
Оправдан будет каждый час...
Но в мире нет людей бесслезней,
Надменнее и проще нас.

1922

МНОГИМ

Я — голос ваш, жар вашего дыханья,
Я — отраженье вашего лица.
Напрасных крыл напрасны трепетанья, —
Ведь все равно я с вами до конца.
Вот отчего вы любите так жадно
Меня в грехе и в немощи моей,
Вот отчего вы дали неоглядно
Мне лучшего из ваших сыновей.
Вот отчего вы даже не спросили
Меня ни слова никогда о нем
И чадными хвалами задымили
Мой навсегда опустошенный дом.
И говорят — нельзя теснее слиться,
Нельзя непоправимее любить...

Как хочет тень от тела отделиться,
Как хочет плоть с душою разлучиться,
Так я хочу теперь — забытой быть.

1922

Души высокая свобода

НАДПИСЬ НА КНИГЕ

М. Лозинскому

Почти от залетейской тени
В тот час, как рушатся миры,
Примите этот дар весенний
В ответ на лучшие дары,
Чтоб та, над временами года,
Несокрушима и верна,
Души высокая свобода,
Что дружбою наречена, —
Мне улыбнулась так же кротко,
Как тридцать лет тому назад...
И сада Летнего решетка,
И оснеженный Ленинград
Возникли, словно в книге этой,
Из мглы магических зеркал,
И над задумчивою Летой
Тростник оживший зазвучал.

1940

* * *

Все души милых на высоких звездах.
Как хорошо, что некого терять
И можно плакать. Царскосельский воздух
Был создан, чтобы песни повторять.

У берега серебряная ива
Касается сентябрьских ярких вод.
Из прошлого восставши, молчаливо
Ко мне навстречу тень моя идет.

Здесь столько лир повешено на ветки,
Но и мое как будто место есть.
А этот дождик, солнечный и редкий,
Мне утешенье и благая весть.

1921

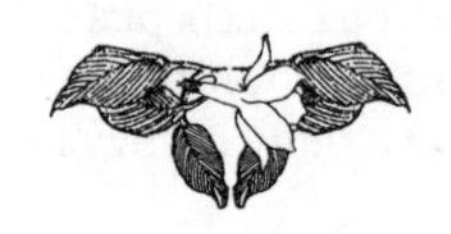

МУЗА

Когда я ночью жду ее прихода,
Жизнь, кажется, висит на волоске.
Что почести, что юность, что свобода
Пред милой гостьей с дудочкой в руке.
И вот вошла. Откинув покрывало,
Внимательно взглянула на меня.
Ей говорю: «Ты ль Данту диктовала
Страницы Ада?» Отвечает: «Я».

1924

* * *

Если плещется лунная жуть,
Город весь в ядовитом растворе.
Без малейшей надежды заснуть
Вижу я сквозь зеленую муть
И не детство мое, и не море,
И не бабочек брачный полет
Над грядой белоснежных нарциссов
В тот какой-то шестнадцатый год...
А застывший навек хоровод
Надмогильных твоих кипарисов.

1928

* * *

Тот город, мной любимый с детства,
В его декабрьской тишине
Моим промотанным наследством
Сегодня показался мне.

Все, что само давалось в руки,
Что было так легко отдать:
Душевный жар, молений звуки
И первой песни благодать —

Все унеслось прозрачным дымом,
Истлело в глубине зеркал...
И вот уж о невозвратимом
Скрипач безносый заиграл.

Но с любопытством иностранки,
Плененной каждой новизной,
Глядела я, как мчатся санки,
И слушала язык родной.

И дикой свежестью и силой
Мне счастье веяло в лицо,
Как будто друг от века милый
Всходил со мною на крыльцо.

1929

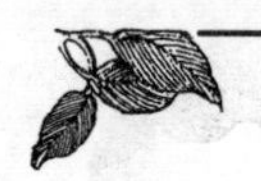

* * *

И вовсе я не пророчица,
Жизнь моя светла, как ручей,
А просто мне петь не хочется
Под звон тюремных ключей.

<1930-е>

ЗАКЛИНАНИЕ

Из тюремных ворот,
Из заохтенских болот,
Путем нехоженым,
Лугом некошеным,
Сквозь ночной кордон,
Под пасхальный звон,
Незваный,
Несуженый, —
Приди ко мне ужинать.

1935

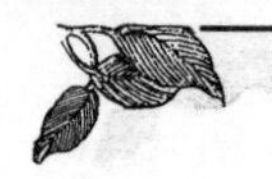

* * *

Привольем пахнет дикий мед,
Пыль – солнечным лучом,
Фиалкою – девичий рот,
А золото – ничем.
Водою пахнет резеда
И яблоком – любовь,
Но мы узнали навсегда,
Что кровью пахнет только кровь...

И напрасно наместник Рима
Мыл руки перед всем народом
Под зловещие крики черни;
И шотландская королева
Напрасно с узких ладоней
Стирала красные брызги
В душном мраке царского дома...

1933

* * *

Зачем вы отравили воду
И с грязью мой смешали хлеб?
Зачем последнюю свободу
Вы превращаете в вертеп?
За то, что я не издевалась
Над горькой гибелью друзей?
За то, что я верна осталась
Печальной родине моей?
Пусть так. Без палача и плахи
Поэту на земле не быть.
Нам — покаянные рубахи,
Нам — со свечой идти и выть.

1935

БОРИС ПАСТЕРНАК

Он, сам себя сравнивший с конским глазом,
Косится, смотрит, видит, узнает,
И вот уже расплавленным алмазом
Сияют лужи, изнывает лед.

В лиловой мгле покоятся задворки,
Платформы, бревна, листья, облака.
Свист паровоза, хруст арбузной корки,
В душистой лайке робкая рука.

Звенит, гремит, скрежещет, бьет прибоем
И вдруг притихнет — это значит, он
Пугливо пробирается по хвоям,
Чтоб не спугнуть пространства чуткий сон.

И это значит, он считает зерна
В пустых колосьях, это значит, он
К плите дарьяльской, проклятой и черной,
Опять пришел с каких-то похорон.

И снова жжет московская истома,
Звенит вдали смертельный бубенец...
Кто заблудился в двух шагах от дома,
Где снег по пояс и всему конец?

За то, что дым сравнил с Лаокооном,
Кладбищенский воспел чертополох,

За то, что мир наполнил новым звоном
В пространстве новом отраженных строф, —

Он награжден каким-то вечным детством,
Той щедростью и зоркостью светил,
И вся земля была его наследством,
А он ее со всеми разделил.

1936

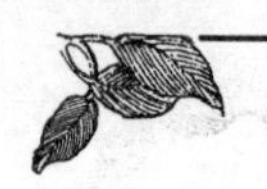

* * *

Не прислал ли лебедя за мною,
Или лодку, или черный плот? –
Он в шестнадцатом году весною
Обещал, что скоро сам придет.
Он в шестнадцатом году весною
Говорил, что птицей прилечу
Через мрак и смерть к его покою,
Прикоснусь крылом к его плечу.
Мне его еще смеются очи
И теперь, шестнадцатой весной.
Что мне делать! Ангел полуночи
До зари беседует со мной.

1936

* * *

Одни глядятся в ласковые взоры,
Другие пьют до солнечных лучей,
А я всю ночь веду переговоры
С неукротимой совестью своей.

Я говорю: «Твое несу я бремя,
Тяжелое, ты знаешь, сколько лет».
Но для нее не существует время,
И для нее пространства в мире нет.

И снова черный масленичный вечер,
Зловещий парк, неспешный бег коня.
И полный счастья и веселья ветер,
С небесных круч слетевший на меня.

А надо мной спокойный и двурогий
Стоит свидетель... о, туда, туда,
По древней Подкапризовой дороге[*],
Где лебеди и мертвая вода.

1936

[*] Дорога в царскосельском Екатерининском парке.

* * *

От тебя я сердце скрыла,
Словно бросила в Неву...
Прирученной и бескрылой
Я в дому твоем живу.
Только... ночью слышу скрипы.
Что там — в сумраках чужих?
Шереметевские липы...
Перекличка домовых...
Осторожно подступает,
Как журчание воды,
К уху жарко приникает
Черный шепоток беды —
И бормочет, словно дело
Ей всю ночь возиться тут:
«Ты уюта захотела,
Знаешь, где он — твой уют?»

1936

ВОРОНЕЖ

О.М.

И город весь стоит оледенелый.
Как под стеклом деревья, стены, снег.
По хрусталям я прохожу несмело.
Узорных санок так неверен бег.
А над Петром воронежским — вороны,
Да тополя, и свод светло-зеленый,
Размытый, мутный, в солнечной пыли,
И Куликовской битвой веют склоны
Могучей, победительной земли.
И тополя, как сдвинутые чаши,
Над нами сразу зазвенят сильней,
Как будто пьют за ликованье наше
На брачном пире тысячи гостей.

А в комнате опального поэта
Дежурят страх и Муза в свой черед.
И ночь идет,
Которая не ведает рассвета.

1936

ДАНТЕ

Il mio bel San Giovanni.

Dante[*]

Он и после смерти не вернулся
В старую Флоренцию свою.
Этот, уходя, не оглянулся,
Этому я эту песнь пою.
Факел, ночь, последнее объятье,
За порогом дикий вопль судьбы.
Он из ада ей послал проклятье
И в раю не мог ее забыть, –
Но босой, в рубахе покаянной,
Со свечой зажженной не прошел
По своей Флоренции желанной,
Вероломной, низкой, долгожданной...

1936

[*] Мой прекрасный Сан-Джованни. *Данте* (*итал.*).

ТВОРЧЕСТВО

Бывает так: какая-то истома;
В ушах не умолкает бой часов;
Вдали раскат стихающего грома.
Неузнанных и пленных голосов
Мне чудятся и жалобы и стоны,
Сужается какой-то тайный круг,
Но в этой бездне шепотов и звонов
Встает один, все победивший звук.
Так вкруг него непоправимо тихо,
Что слышно, как в лесу растет трава,
Как по земле идет с котомкой лихо...
Но вот уже послышались слова
И легких рифм сигнальные звоночки, —
Тогда я начинаю понимать,
И просто продиктованные строчки
Ложатся в белоснежную тетрадь.

1936

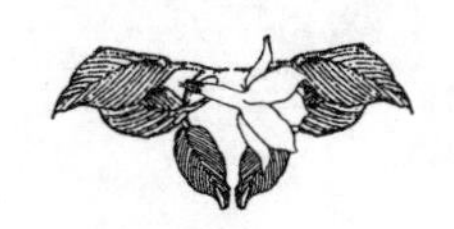

* * *

Я знаю, с места не сдвинуться
От тяжести Виевых век.
О, если бы вдруг откинуться
В какой-то семнадцатый век.

С душистою веткой березовой
Под Троицу в церкви стоять,
С боярынею Морозовой
Сладимый медок попивать,

А после на дровнях в сумерки
В навозном снегу тонуть...
Какой сумасшедший Суриков
Мой последний напишет путь?

1937

* * *

Годовщину последнюю празднуй —
Ты пойми, что сегодня точь-в-точь
Нашей первой зимы — той, алмазной —
Повторяется снежная ночь.

Пар валит из-под царских конюшен,
Погружается Мойка во тьму,
Свет луны как нарочно притушен,
И куда мы идем — не пойму.

Меж гробницами внука и деда
Заблудился взъерошенный сад.
Из тюремного вынырнув бреда,
Фонари погребально горят.

В грозных айсбергах Марсово поле,
И Лебяжья лежит в хрусталях...
Чья с моею сравняется доля,
Если в сердце веселье и страх.

И трепещет, как дивная птица,
Голос твой у меня над плечом.
И внезапным согретый лучом,
Снежный прах так тепло серебрится.

1939

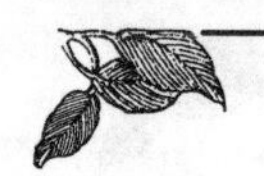

ПАМЯТИ БОРИСА ПИЛЬНЯКА

Все это разгадаешь ты один...
Когда бессонный мрак вокруг клокочет,
Тот солнечный, тот ландышевый клин
Врывается во тьму декабрьской ночи.
И по тропинке я к тебе иду.
И ты смеешься беззаботным смехом.
Но хвойный лес и камыши в пруду
Ответствуют каким-то странным эхом...
О, если этим мертвого бужу,
Прости меня, я не могу иначе:
Я о тебе, как о своем, тужу
И каждому завидую, кто плачет,
Кто может плакать в этот страшный час
О тех, кто там лежит на дне оврага...
Но выкипела, не дойдя до глаз,
Глаза мои не освежила влага.

1938

ПОДРАЖАНИЕ АРМЯНСКОМУ

Я приснюсь тебе черной овцою
На нетвердых, сухих ногах,
Подойду, заблею, завою:
«Сладко ль ужинал, падишах?
Ты Вселенную держишь, как бусу,
Светлой волей Аллаха храним...
И пришелся ль сынок мой по вкусу
И тебе и деткам твоим?»

1939

* * *

Мне ни к чему одические рати
И прелесть элегических затей.
По мне, в стихах все быть должно
некстати,
Не так, как у людей.

Когда б вы знали, из какого сора
Растут стихи, не ведая стыда,
Как желтый одуванчик у забора,
Как лопухи и лебеда.

Сердитый окрик, дегтя запах свежий,
Таинственная плесень на стене...
И стих уже звучит, задорен, нежен,
На радость вам и мне.

1940

СТАНСЫ

Стрелецкая луна.
  Замоскворечье. Ночь.
Как крестный ход идут
  Часы Страстной недели.
Мне снится страшный сон.
  Неужто в самом деле
Никто, никто, никто
  Не может мне помочь?

В Кремле не надо жить.
  Преображенец прав.
Здесь древней ярости
  Еще кишат микробы:
Бориса дикий страх,
  И всех Иванов злобы,
И Самозванца спесь —
  Взамен народных прав.

1940

* * *

Уложила сыночка кудрявого
И пошла на озеро по воду,
Песни пела, была веселая,
Зачерпнула воды и слушаю:
Мне знакомый голос прислышался,
Колокольный звон
Из-под синих волн,
Так у нас звонили в граде Китеже.
Вот большие бьют у Егория,
А меньшие с башни Благовещенской,
Говорят они грозным голосом:

«Ах, одна ты ушла от приступа,
Стона нашего ты не слышала,
Нашей горькой гибели не видела.
Но светла свеча негасимая
За тебя у престола Божьего.
Что же ты на земле замешкалась
И венец надеть не торопишься?
Распустился твой крин во полунощи,
И фата до пят тебе соткана.
Что ж печалишь ты брата-воина
И сестру — голубицу-схимницу,
Своего печалишь ребеночка?..»

Как последнее слово услышала,
Света я пред собою невзвидела,
Оглянулась, а дом в огне горит.

1940

* * *

В лесу голосуют деревья.

Н.З.

И вот, наперекор тому,
Что смерть глядит в глаза, —
Опять, по слову твоему,
Я голосую *за*:
То, чтоб дверью стала дверь,
Замок опять замком,
Чтоб сердцем стал угрюмый зверь
В груди... А дело в том,
Что суждено нам всем узнать,
Что значит третий год не спать,
Что значит утром узнавать
О тех, кто в ночь погиб...

1940

КЛЕОПАТРА

Александрийские чертоги
Покрыла сладостная тень.

Пушкин

Уже целовала Антония мертвые губы,
Уже на коленях пред Августом слезы лила...
И предали слуги. Грохочут победные трубы
Под римским орлом, и вечерняя стелется мгла.
И входит последний плененный ее красотою,
Высокий и статный, и шепчет в смятении он:
«Тебя — как рабыню... в триумфе пошлет
пред собою...»
Но шеи лебяжьей все так же спокоен наклон.

А завтра детей закуют. О, как мало осталось
Ей дела на свете — еще с мужиком пошутить
И черную змейку, как будто прощальную
жалость,
На смуглую грудь равнодушной рукой
положить.

1940

ИВА

И дряхлый пук дерев.
Пушкин

А я росла в узорной тишине,
В прохладной детской молодого века.
И не был мил мне голос человека,
А голос ветра был понятен мне.
Я лопухи любила и крапиву,
Но больше всех серебряную иву,
И, благодарная, она жила
Со мной всю жизнь, плакучими ветвями
Бессонницу овеивала снами.
И — странно! — я ее пережила.
Там пень торчит, чужими голосами
Другие ивы что-то говорят
Под нашими, под теми небесами.
И я молчу... Как будто умер брат.

1940

* * *

Мои молодые руки
Тот договор подписали
Среди цветочных киосков
И граммофонного треска,
Под взглядом косым и пьяным
Газовых фонарей.
И старше была я века
Ровно на десять лет.

А на закат наложен
Был черный траур черемух,
Что осыпался мелким,
Душистым, сухим дождем...
И облака сквозили
Кровавой цусимской пеной,
И плавно ландо катили
Теперешних мертвецов...

А нам бы тогдашний вечер
Показался бы маскарадом,
Показался бы карнавалом,
Феерией grand-gala* ...

От дома того — ни щепки,
Та вырублена аллея,

---

*Пышное торжество (*фр.*).

Давно опочили в музее
Те шляпы и башмачки.
Кто знает, как пусто небо
На месте упавшей башни,
Кто знает, как тихо в доме,
Куда не вернулся сын.

Ты неотступен, как совесть,
Как воздух, всегда со мною,
Зачем же зовешь к ответу?
Свидетелей знаю твоих:
То Павловского вокзала
Раскаленный музыкой купол
И водопад белогривый
У Баболовского дворца.

1940

* * *

Так отлетают темные души...
— Я буду бредить, а ты не слушай.

Зашел ты нечаянно, ненароком —
Ты никаким ведь не связан сроком,

Побудь же со мною теперь подольше.
Помнишь, мы были с тобою в Польше?

Первое утро в Варшаве... Кто ты?
Ты уж другой или третий? — «Сотый!»

— А голос совсем такой, как прежде.
Знаешь, я годы жила в надежде,

Что ты вернешься, и вот — не рада.
Мне ничего на земле не надо,

Ни громов Гомера, ни Дантова дива.
Скоро я выйду на берег счастливый:

И Троя не пала, и жив Эабани,
И все потонуло в душистом тумане.

Я б задремала под ивой зеленой,
Да нет мне покоя от этого звона.

Что он? — то с гор возвращается стадо?
Только в лицо не дохнула прохлада.

Или идет священник с дарами?
А звезды на небе, а ночь над горами...

Или сзывают народ на вече? —
«Нет, это твой последний вечер!»

1940

* * *

Когда человек умирает,
Изменяются его портреты.
По-другому глаза глядят, и губы
Улыбаются другой улыбкой.
Я заметила это, вернувшись
С похорон одного поэта.
И с тех пор проверяла часто,
И моя догадка подтвердилась.

1940

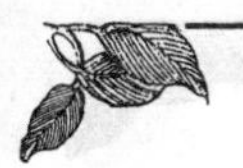

ПАМЯТИ М. БУЛГАКОВА

Вот это я тебе взамен могильных роз,
Взамен кадильного куренья;
Ты так сурово жил и до конца донес
Великолепное презренье.
Ты пил вино, ты, как никто, шутил
И в душных стенах задыхался,
И гостью страшную ты сам к себе впустил
И с ней наедине остался.
И нет тебя, и все вокруг молчит
О скорбной и высокой жизни,
Лишь голос мой, как флейта, прозвучит
И на твоей безмолвной тризне.
О, кто поверить смел, что полоумной мне,
Мне, плакальщице дней погибших,
Мне, тлеющей на медленном огне,
Всех потерявшей, все забывшей, —
Придется поминать того, кто, полный сил,
И светлых замыслов, и воли,
Как будто бы вчера со мною говорил,
Скрывая дрожь предсмертной боли.

1940

РАЗРЫВ

1

Не недели, не месяцы — годы
Расставались. И вот наконец
Холодок настоящей свободы
И седой над висками венец.

Больше нет ни измен, ни предательств,
И до света не слушаешь ты,
Как струится поток доказательств
Несравненной моей правоты.

2

И, как всегда бывает в дни разрыва,
К нам постучался призрак первых дней,
И ворвалась серебряная ива
Седым великолепием ветвей.

Нам, исступленным, горьким и надменным,
Не смеющим глаза поднять с земли,
Запела птица голосом блаженным
О том, как мы друг друга берегли.

3. ПОСЛЕДНИЙ ТОСТ

Я пью за разоренный дом,
За злую жизнь мою,
За одиночество вдвоем

И за тебя я пью, —
За ложь меня предавших губ,
За мертвый холод глаз,
За то, что мир жесток и груб,
За то, что Бог не спас.

1934—1944

* * *

Один идет прямым путем,
Другой идет по кругу
И ждет возврата в отчий дом,
Ждет прежнюю подругу.
А я иду — за мной беда,
Не прямо и не косо,
А в никуда и в никогда,
Как поезда с откоса.

1940

ПОЗДНИЙ ОТВЕТ

Белорученька моя,
чернокнижница...

М.Ц.

Невидимка, двойник, пересмешник,
Что ты прячешься в черных кустах,
То забьешься в дырявый скворечник,
То мелькнешь на погибших крестах,
То кричишь из Маринкиной башни:
«Я сегодня вернулась домой.
Полюбуйтесь, родимые пашни,
Что за это случилось со мной.
Поглотила любимых пучина,
И разграблен родительский дом».
Мы с тобою сегодня, Марина,
По столице полночной идем,
А за нами таких миллионы,
И безмолвнее шествия нет,
А вокруг погребальные звоны
Да московские дикие стоны
Вьюги, наш заметающей след.

1940—1961

ПОДВАЛ ПАМЯТИ

Но сущий вздор, что я живу грустя
И что меня воспоминанье точит.
Не часто я у памяти в гостях,
Да и она меня всегда морочит.
Когда спускаюсь с фонарем в подвал,
Мне кажется — опять глухой обвал
За мной по узкой лестнице грохочет.
Чадит фонарь, вернуться не могу,
А знаю, что иду туда, к врагу.
И я прошу как милости... Но там
Темно и тихо. Мой окончен праздник!
Уж тридцать лет, как проводили дам,
От старости скончался тот проказник...
Я опоздала. Экая беда!
Нельзя мне показаться никуда.
Но я касаюсь живописи стен
И у камина греюсь. Что за чудо!
Сквозь эту плесень, этот чад и тлен
Сверкнули два живые изумруда.
И кот мяукнул. Ну, идем домой!

Но где мой дом и где рассудок мой?

1940

Реквием

РЕКВИЕМ

ВМЕСТО ПРЕДИСЛОВИЯ

В страшные годы ежовщины я провела семнадцать месяцев в тюремных очередях Ленинграда. Как-то раз кто-то «опознал» меня. Тогда стоящая за мной женщина с голубыми губами, которая, конечно, никогда не слыхала моего имени, очнулась от свойственного нам всем оцепенения и спросила меня на ухо (там все говорили шепотом):

— А это вы можете описать?

И я сказала:

— Могу.

Тогда что-то вроде улыбки скользнуло по тому, что некогда было ее лицом.

1 апреля 1957
Ленинград

Нет! и не под чуждым небосводом
И не под защитой чуждых крыл —
Я была тогда с моим народом,
Там, где мой народ, к несчастью, был.

1961

ПОСВЯЩЕНИЕ

Перед этим горем гнутся горы,
Не течет великая река,
Но крепки тюремные затворы,
А за ними «каторжные норы»
И смертельная тоска.
Для кого-то веет ветер свежий,

Для кого-то нежится закат —
Мы не знаем, мы повсюду те же,
Слышим лишь ключей постылый скрежет
Да шаги тяжелые солдат.
Подымались, как к обедне ранней,
По столице одичалой шли,
Там встречались, мертвых бездыханней,
Солнце ниже и Нева туманней,
А надежда все поет вдали.
Приговор... И сразу слезы хлынут,
Ото всех уже отделена,
Словно с болью жизнь из сердца вынут,
Словно грубо навзничь опрокинут,
Но идет... Шатается... Одна.
Где теперь невольные подруги
Двух моих осатанелых лет?
Что им чудится в сибирской вьюге,
Что мерещится им в лунном круге?
Им я шлю прощальный свой привет.

Март 1940

ВСТУПЛЕНИЕ

Это было, когда улыбался
Только мертвый, спокойствию рад.
И ненужным привеском качался
Возле тюрем своих Ленинград.
И, когда обезумев от муки,
Шли уже осужденных полки,
И короткую песню разлуки
Паровозные пели гудки.
Звезды смерти стояли над нами,
И безвинная корчилась Русь
Под кровавыми сапогами
И под шинами черных марусь.

1

Уводили тебя на рассвете,
За тобой, как на выносе, шла,
В темной горнице плакали дети,
У божницы свеча оплыла.
На губах твоих холод иконки.
Смертный пот на челе... Не забыть! —
Буду я, как стрелецкие женки,
Под кремлевскими башнями выть.

Осень 1935
Москва

2

Тихо льется тихий Дон,
Желтый месяц входит в дом.
Входит в шапке набекрень,
Видит желтый месяц тень.
Эта женщина больна,
Эта женщина одна,
Муж в могиле, сын в тюрьме,
Помолитесь обо мне.

3

Нет, это не я, это кто-то другой страдает.
Я бы так не могла, а то, что случилось,
Пусть черные сукна покроют,
И пусть унесут фонари...
Ночь.

4

Показать бы тебе, насмешнице
И любимице всех друзей,
Царскосельской веселой грешнице,
Что случилось с жизнью твоей —

Как трехсотая, с передачею,
Под Крестами будешь стоять
И своею слезою горячею
Новогодний лед прожигать.
Там тюремный тополь качается,
И ни звука — а сколько там
Неповинных жизней кончается...

1938

5

Семнадцать месяцев кричу,
Зову тебя домой,
Кидалась в ноги палачу,
Ты сын и ужас мой.
Все перепуталось навек,
И мне не разобрать
Теперь, кто зверь, кто человек,
И долго ль казни ждать.
И только пыльные цветы,
И звон кадильный, и следы
Куда-то в никуда.
И прямо мне в глаза глядит
И скорой гибелью грозит
Огромная звезда.

1939. Весна

6

Легкие летят недели.
Что случилось, не пойму.
Как тебе, сынок, в тюрьму
Ночи белые глядели.
Как они опять глядят
Ястребиным жарким оком,
О твоем кресте высоком
И о смерти говорят.

1939

7

ПРИГОВОР

И упало каменное слово
На мою еще живую грудь.
Ничего, ведь я была готова,
Справлюсь с этим как-нибудь.

У меня сегодня много дела:
Надо память до конца убить,
Надо, чтоб душа окаменела,
Надо снова научиться жить.

А не то... Горячий шелест лета,
Словно праздник за моим окном.
Я давно предчувствовала этот
Светлый день и опустелый дом.

1939. Лето

8

К СМЕРТИ

Ты все равно придешь — зачем же
не теперь?
Я жду тебя — мне очень трудно.
Я потушила свет и отворила дверь
Тебе, такой простой и чудной.
Прими для этого какой угодно вид,
Ворвись отравленным снарядом
Иль с гирькой подкрадись,
как опытный бандит,
Иль отрави тифозным чадом,
Иль сказочкой, придуманной тобой
И всем до тошноты знакомой, —
Чтоб я увидела верх шапки голубой
И бледного от страха управдома.

Мне все равно теперь. Клубится Енисей,
Звезда полярная сияет.
И синий блеск возлюбленных очей
Последний ужас застилает.

19 августа 1939
Фонтанный Дом

9

Уже безумие крылом
Души закрыло половину,
И поит огненным вином,
И манит в черную долину.

И поняла я, что ему
Должна я уступить победу.
Прислушиваясь к своему
Уже как бы чужому бреду.

И не позволит ничего
Оно мне унести с собою
(Как ни упрашивай его
И как ни докучай мольбою):

Ни сына страшные глаза —
Окаменелое страданье, —
Ни день, когда пришла гроза,
Ни час тюремного свиданья,

Ни милую прохладу рук,
Ни лип взволнованные тени,
Ни отдаленный легкий звук —
Слова последних утешений.

4 мая 1940

РАСПЯТИЕ

Не рыдай Мене, Мати,
во гробе зрящи.

1

Хор ангелов великий час восславил,
И небеса расплавились в огне.
Отцу сказал: «Почто Меня оставил!»
А Матери: «О, не рыдай Мене...»

2

Магдалина билась и рыдала,
Ученик любимый каменел,
А туда, где молча Мать стояла,
Так никто взглянуть и не посмел.

ЭПИЛОГ

1

Узнала я, как опадают лица,
Как из-под век выглядывает страх,
Как клинописи жесткие страницы
Страдание выводит на щеках,
Как локоны из пепельных и черных
Серебряными делаются вдруг,
Улыбка вянет на губах покорных,
И в сухоньком смешке дрожит испуг.
И я молюсь не о себе одной,
А обо всех, кто там стоял со мною,
И в лютый холод, и в июльский зной,
Под красною ослепшею стеною.

2

Опять поминальный приблизился час.
Я вижу, я слышу, я чувствую вас:

И ту, что едва до конца довели,
И ту, что родимой не топчет земли,
И ту, что, красивой тряхнув головой,
Сказала: «Сюда прихожу, как домой».
Хотелось бы всех поименно назвать,
Да отняли список, и негде узнать.
Для них я соткала широкий покров
Из бедных, у них же подслушанных слов.
О них вспоминаю всегда и везде,
О них не забуду и в новой беде,

И если зажмут мой измученный рот,
Которым кричит стомиллионный народ,
Пусть так же они поминают меня
В канун моего поминального дня.

А если когда-нибудь в этой стране
Воздвигнуть задумают памятник мне,
Согласье на это даю торжество,
Но только с условьем — не ставить его
Ни около моря, где я родилась:
Последняя с морем разорвана связь,
Ни в царском саду у заветного пня,
Где тень безутешная ищет меня,
А здесь, где стояла я триста часов
И где для меня не открыли засов.
Затем, что и в смерти блаженной боюсь
Забыть громыхание черных марусь,
Забыть, как постылая хлюпала дверь
И выла старуха, как раненый зверь.
И пусть с неподвижных и бронзовых век,
Как слезы, струится подтаявший снег,

И голубь тюремный пусть гулит вдали,
И тихо идут по Неве корабли.

1940. Март
Фонтанный Дом

Птицы смерти стоят в зените

* * *

De profundis...[*] Мое поколенье
Мало меду вкусило. И вот
Только ветер гудит в отдаленье,
Только память о мертвых поет.
Наше было не кончено дело,
Наши были часы сочтены,
До желанного водораздела,
До вершины великой весны,
До неистового цветенья
Оставалось лишь раз вздохнуть...
Две войны, мое поколенье,
Освещали твой страшный путь.

1944

[*] Из бездны (взываю) (*лат.*).

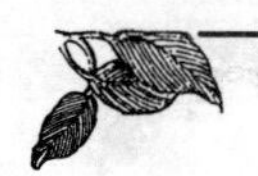

* * *

Когда погребают эпоху,
Надгробный псалом не звучит,
Крапиве, чертополоху
Украсить ее предстоит.
И только могильщики лихо
Работают. Дело не ждет!
И тихо, так, Господи, тихо,
Что слышно, как время идет.
А после она выплывает,
Как труп на весенней реке, —
Но матери сын не узнает,
И внук отвернется в тоске.
И клонятся головы ниже,
Как маятник, ходит луна.

Так вот — над погибшим Парижем
Такая теперь тишина.

1940

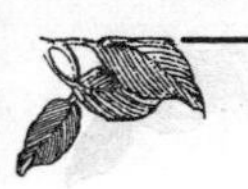

* * *

Уж я ль не знала бессонницы
Все пропасти и тропы,
Но эта — как топот конницы
Под вой одичалой трубы.
Вхожу в дома опустелые,
В недавний чей-то уют.
Все тихо, лишь тени белые
В чужих зеркалах плывут.
И что там в тумане — Дания,
Нормандия, или тут
Сама я бывала ранее,
И это — переиздание
Навек забытых минут?

1940

ЛОНДОНЦАМ

Двадцать четвертую драму Шекспира
Пишет время бесстрастной рукой.
Сами участники грозного пира,
Лучше мы Гамлета, Цезаря, Лира
Будем читать над свинцовой рекой;
Лучше сегодня голубку Джульетту
С пеньем и факелом в гроб провожать,
Лучше заглядывать в окна к Макбету,
Вместе с наемным убийцей дрожать, —
Только не эту, не эту, не эту,
Эту уже мы не в силах читать!

1940

ТЕНЬ

Что знает женщина одна
о смертном часе?
О. Мандельштам

Всегда нарядней всех, всех розовей и выше,
Зачем всплываешь ты со дна погибших лет
И память хищная передо мной колышет
Прозрачный профиль твой за стеклами карет?
Как спорили тогда — ты ангел или птица!
Соломинкой тебя назвал поэт.
Равно на всех сквозь черные ресницы
Дарьяльских глаз струился нежный свет.
О тень! Прости меня, но ясная погода,
Флобер, бессонница и поздняя сирень
Тебя — красавицу тринадцатого года —
И твой безоблачный и равнодушный день
Напомнили... А мне такого рода
Воспоминанья не к лицу. О тень!

1940

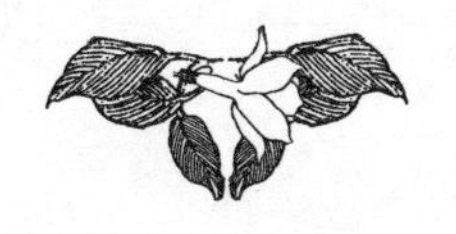

ЛЕНИНГРАД В МАРТЕ 1941 ГОДА

Cadran solaire* на Меншиковом доме.
Подняв волну, проходит пароход.
О, есть ли что на свете мне знакомей,
Чем шпилей блеск и отблеск этих вод!
Как щелочка, чернеет переулок.
Садятся воробьи на провода.
У наизусть затверженных прогулок
Соленый привкус — тоже не беда.

1941

* Солнечные часы (*фр.*).

Памяти мальчика,
погибшего во время
бомбардировки Ленинграда

1

Щели в саду вырыты,
Не горят огни.
Питерские сироты,
Детоньки мои!
Под землей не дышится,
Боль сверлит висок,
Сквозь бомбежку слышится
Детский голосок.

2

Постучись кулачком — я открою.
Я тебе открывала всегда.
Я теперь за высокой горою,
За пустыней, за ветром и зноем,
Но тебя не предам никогда...
Твоего я не слышала стона.
Хлеба ты у меня не просил.
Принеси же мне ветку клена
Или просто травинок зеленых,
Как ты прошлой весной приносил.
Принеси же мне горсточку чистой,
Нашей невской студеной воды,
И с головки твоей золотистой
Я кровавые смою следы.

1942

* * *

Какая есть. Желаю вам другую.
Получше.
Больше счастьем не торгую,
Как шарлатаны и оптовики...
Пока вы мирно отдыхали в Сочи,
Ко мне уже ползли такие ночи,
И я такие слышала звонки!
Не знатной путешественницей в кресле
Я выслушала каторжные песни,
Но способом узнала их иным...
....
Над Азией весенние туманы,
И яркие до ужаса тюльпаны
Ковром заткали много сотен миль.
О, что мне делать с этой чистотою
Природы, с неподвижностью святою.
О, что мне делать с этими людьми?

Мне зрительницей быть не удавалось,
И почему-то я всегда вклинялась
В запретнейшие зоны естества.
Целительница нежного недуга,
Чужих мужей вернейшая подруга
И многих — безутешная вдова.

Седой венец достался мне недаром,
И щеки, опаленные пожаром,

Уже людей пугают смуглотой.
Но близится конец моей гордыне,
Как той, другой — страдалице
Марине, —
Придется мне напиться пустотой.
И ты придешь под черной епанчою,
С зеленоватой страшною свечою,
И не откроешь предо мной лица...
Но мне недолго мучиться загадкой —
Чья там рука под белою перчаткой
И кто прислал ночного пришлеца.

1942

ТРИ ОСЕНИ

Мне летние просто невнятны улыбки,
И тайны в зиме не найду,
Но я наблюдала почти без ошибки
Три осени в каждом году.

И первая — праздничный беспорядок
Вчерашнему лету назло,
И листья летят, словно клочья тетрадок,
И запах дымка так ладанно-сладок,
Все влажно, пестро и светло.

И первыми в танец вступают березы,
Накинув сквозной убор,
Стряхнув второпях мимолетные слезы
На соседку через забор.

Но эта бывает — чуть начата повесть.
Секунда, минута — и вот
Приходит вторая, бесстрастна, как совесть,
Мрачна, как воздушный налет.

Все кажутся сразу бледнее и старше,
Разграблен летний уют,
И труб золотых отдаленные марши
В пахучем тумане плывут...

И в волнах холодных его фимиама
Закрыта высокая твердь,

Но ветер рванул, распахнулось —
и прямо
Всем стало понятно: кончается драма,
И это не третья осень, а смерть.

1943

ПОД КОЛОМНОЙ

Шервинским

...Где на четырех высоких лапах
Колокольни звонкие бока
Поднялись, где в поле мятный запах,
И гуляют маки в красных шляпах,
И течет московская река, —
Все бревенчато, дощато, гнуто...
Полноценно цедится минута
На часах песочных. Этот сад
Всех садов и всех лесов дремучей,
И над ним, как над бездонной кручей,
Солнца древнего из сизой тучи
Пристален и нежен долгий взгляд.

1943

* * *

Справа раскинулись пустыри,
С древней, как мир, полоской зари,

Слева, как виселицы, фонари.
Раз, два, три...

А над всем еще галочий крик
И помертвелого месяца лик
Совсем ни к чему возник.

Это — из жизни не той и не той,
Это — когда будет век золотой,

Это — когда окончится бой,
Это — когда я встречусь с тобой.

1944

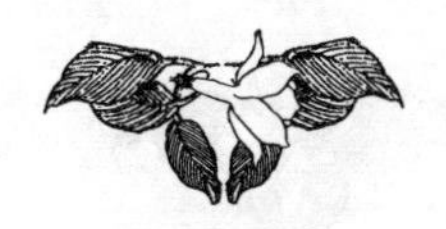

* * *

Это рысьи глаза твои, Азия,
Что-то высмотрели во мне,
Что-то выдразнили подспудное
И рожденное тишиной,
И томительное, и трудное,
Как полдневный термезский зной.
Словно вся прапамять в сознание
Раскаленной лавой текла,
Словно я свои же рыдания
Из чужих ладоней пила.

1945

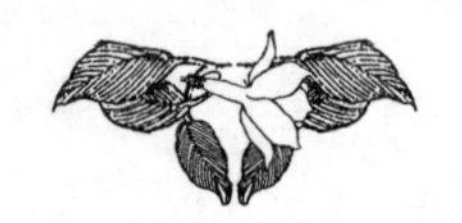

О своем я уже не заплачу

ПРИЧИТАНИЕ

Ленинградскую беду
Руками не разведу,
Слезами не смою,
В землю не зарою.
За версту я обойду
Ленинградскую беду.
Я не взглядом, не намеком,
Я не словом, не попреком,
Я земным поклоном
В поле зеленом
Помяну.

1944

* * *

Опять подошли «незабвенные даты»,
И нет среди них ни одной не проклятой.

Но самой проклятой восходит заря...
Я знаю: колотится сердце не зря –

От звонкой минуты пред бурей морскою
Оно наливается мутной тоскою.

На прошлом я черный поставила крест,
Чего же ты хочешь, товарищ зюйд-вест,

Что ломятся в комнату липы и клены,
Гудит и бесчинствует табор зеленый

И к брюху мостов подкатила вода? –
И всё как тогда, и всё как тогда.

1944

* * *

...А человек, который для меня
Теперь никто, а был моей заботой
И утешеньем самых горьких лет, —
Уже бредет как призрак по окрайнам,
По закоулкам и задворкам жизни,
Тяжелый, одурманенный безумьем,
С оскалом волчьим...

Боже, Боже, Боже!
Как пред тобой я тяжко согрешила!
Оставь мне жалость хоть...

1945

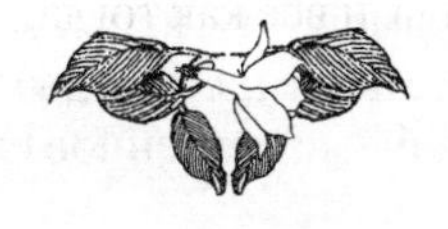

* * *

Кого когда-то называли люди
Царем в насмешку, Богом в самом деле,
Кто был убит — и чье орудье пытки
Согрето теплотой моей груди...

Вкусили смерть свидетели Христовы,
И сплетницы-старухи, и солдаты,
И прокуратор Рима — все прошли
Там, где когда-то возвышалась арка,
Где море билось, где чернел утес, —
Их выпили в вине, вдохнули с пылью
жаркой
И с запахом священных роз.

Ржавеет золото, и истлевает сталь,
Крошится мрамор — к смерти все готово.
Всего прочнее на земле печаль
И долговечней — царственное Слово.

1945

* * *

И увидел месяц лукавый,
Притаившийся у ворот,
Как свою посмертную славу
Я меняла на вечер тот.

Теперь меня позабудут,
И книги сгниют в шкафу.
Ахматовской звать не будут
Ни улицу, ни строфу.

1946

* * *

Забудут? — вот чем удивили!
Меня забывали сто раз,
Сто раз я лежала в могиле,
Где, может быть, я и сейчас.
А Муза и глохла и слепла,
В земле истлевала зерном,
Чтоб после, как Феникс из пепла,
В эфире восстать голубом.

1957

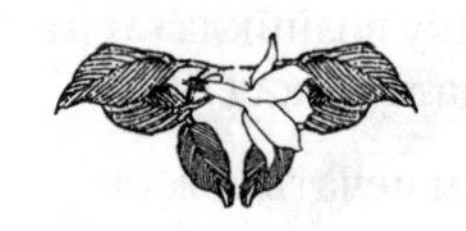

ВТОРАЯ ГОДОВЩИНА

Нет, я не выплакала их.
Они внутри скипелись сами.
И все проходит пред глазами
Давно без них, всегда без них.

Без них меня томит и душит
Обиды и разлуки боль.
Проникла в кровь — трезвит и сушит
Их всесжигающая соль.

Но мнится мне: в сорок четвертом,
И не в июня ль первый день,
Как на шелку возникла стертом
Твоя страдальческая тень.

Еще на всем печать лежала
Великих бед, недавних гроз, —
И я свой город увидала
Сквозь радугу последних слез.

1946

ЧЕРЕПКИ

You cannot leave your
mother an orphan.

Joyce[*]

1

Мне, лишенной огня и воды,
Разлученной с единственным сыном...
На позорном помосте беды
Как под тронным стою балдахином...

2

Вот и доспорился, яростный спорщик,
До енисейских равнин...
Вам он бродяга, шуан, заговорщик,
Мне он — единственный сын.

3

Семь тысяч три километра...
Не услышишь, как мать зовет,
В грозном вое полярного ветра,
В тесноте обступивших невзгод,
Там дичаешь, звереешь — ты милый,

---

[*]Ты не можешь оставить свою мать сиротой. *Джойс* (*англ.*).

Ты последний и первый, ты — наш.
Над моей ленинградской могилой
Равнодушная бродит весна.

4

Кому и когда говорила,
Зачем от людей не таю,
Что каторга сына сгноила,
Что Музу засекли мою.
Я всех на земле виноватей,
Кто был и кто будет, кто есть,
И мне в сумасшедшей палате
Валяться — великая честь.

5

Вы меня, как убитого зверя,
На кровавый подымете крюк,
Чтоб, хихикая и не веря,
Иноземцы бродили вокруг
И писали в почтенных газетах,
Что мой дар несравненный угас,
Что была я поэтом в поэтах,
Но мой пробил тринадцатый час.

1949

* * *

Особенных претензий не имею
Я к этому сиятельному дому,
Но так случилось, что почти всю жизнь
Я прожила под знаменитой кровлей
Фонтанного дворца... Я нищей
В него вошла и нищей выхожу...

1952

СОН

> Сладко ль видеть
> неземные сны?
>
> *А.Блок*

Был вещим этот сон или не вещим...
Марс воссиял среди небесных звезд,
Он алым стал, искрящимся, зловещим, —
А мне в ту ночь приснился твой приезд.

Он был во всем... И в баховской Чаконе.
И в розах, что напрасно расцвели,
И в деревенском колокольном звоне
Над чернотой распаханной земли.

И в осени, что подошла вплотную
И вдруг, раздумав, спряталась опять.
О август мой, как мог ты весть такую
Мне в годовщину страшную отдать!

Чем отплачу за царственный подарок?
Куда идти и с кем торжествовать?
И вот пишу, как прежде, без помарок,
Мои стихи в сожженную тетрадь.

1956

* * *

Не повторяй — душа твоя богата —
Того, что было сказано когда-то,
Но, может быть, поэзия сама —
Одна великолепная цитата.

1956

ГОРОДУ ПУШКИНА

И царскосельские хранительные сени...

Пушкин

1

О, горе мне! Они тебя сожгли...
О, встреча, что разлуки тяжелее!..
Здесь был фонтан, высокие аллеи,
Громада парка древнего вдали,
Заря была себя самой алее,
В апреле запах прели и земли,
И первый поцелуй...

2

Этой ивы листы в девятнадцатом веке
увяли,
Чтобы в строчке стиха серебриться
свежее стократ.
Одичалые розы пурпурным шиповником
стали,
А лицейские гимны все так же заздравно
звучат.
Полстолетья прошло... Щедро взыскана
дивной судьбою,

Я в беспамятстве дней забывала
течене годов,
И туда не вернусь! Но возьму и за Лету
с собою
Очертанья живые моих царскосельских
садов.

1957

* * *

О.Мандельштаму

Я над ними склонюсь, как над чашей,
В них заветных заметок не счесть —
Окровавленной юности нашей
Это черная нежная весть.

Тем же воздухом, так же над бездной
Я дышала когда-то в ночи,
В той ночи и пустой и железной,
Где напрасно зови и кричи.

О, как пряно дыханье гвоздики,
Мне когда-то приснившейся там, —
Это кружатся Эвридики,
Бык Европу везет по волнам.

Это наши проносятся тени
Над Невой, над Невой, над Невой,
Это плещет Нева о ступени,
Это пропуск в бессмертие твой.

Это ключики от квартиры,
О которой теперь ни гугу...
Это голос таинственной лиры,
На загробном гостящей лугу.

1957

МУЗЫКА

Д.Д.Шостаковичу

В ней что-то чудотворное горит,
И на глазах ее края гранятся.
Она одна со мною говорит,
Когда другие подойти боятся.
Когда последний друг отвел глаза,
Она была со мной в моей могиле
И пела словно первая гроза
Иль будто все цветы заговорили.

1958

ПРИМОРСКИЙ СОНЕТ

Здесь все меня переживет,
Все, даже ветхие скворешни
И этот воздух, воздух вешний,
Морской свершивший перелет.

И голос вечности зовет
С неодолимостью нездешней,
И над цветущею черешней
Сиянье легкий месяц льет.

И кажется такой нетрудной,
Белея в чаще изумрудной,
Дорога не скажу куда...

Там средь стволов еще светлее,
И все похоже на аллею
У царскосельского пруда.

1958

* * *

Вижу я,
Лебедь тешится моя.

Пушкин

Ты напрасно мне под ноги мечешь
И величье, и славу, и власть.
Знаешь сам, что не этим излечишь
Песнопения светлую страсть.

Разве этим развеешь обиду?
Или золотом лечат тоску?
Может быть, я и сдамся для виду.
Не притронусь я дулом к виску.

Смерть стоит все равно у порога,
Ты гони ее или зови,
А за нею темнеет дорога,
По которой ползла я в крови.

А за нею десятилетья
Скуки, страха и той пустоты,
О которой могла бы пропеть я,
Да боюсь, что расплачешься ты.

Что ж, прощай. Я живу не в пустыне.
Ночь со мной и всегдашняя Русь.
Так спаси же меня от гордыни.
В остальном я сама разберусь.

1958

* * *

Борису Пастернаку

И снова осень валит Тамерланом,
В арбатских переулках тишина.
За полустанком или за туманом
Дорога непроезжая черна.
Так вот она, последняя! И ярость
Стихает. Все равно что мир оглох...
Могучая евангельская старость
И тот горчайший гефсиманский вздох.

1947—1958

* * *

Все ушли, и никто не вернулся,
Только, верный обету любви,
Мой последний, лишь ты оглянулся,
Чтоб увидеть все небо в крови.
Дом был проклят, и проклято дело,
Тщетно песня звенела нежней,
И глаза я поднять не посмела
Перед страшной судьбою своей.
Осквернили пречистое слово,
Растоптали священный глагол,
Чтоб с сиделками тридцать седьмого
Мыла я окровавленный пол.
Разлучили с единственным сыном,
В казематах пытали друзей,
Окружили невидимым тыном
Крепко слаженной слежки своей.
Наградили меня немотою,
На весь мир окаянно кляня,
Окормили меня клеветою,
Опоили отравой меня
И, до самого края доведши,
Почему-то оставили там.
Любо мне, городской сумасшедшей,
По предсмертным бродить площадям.

1959

ПОСЛЕДНЕЕ СТИХОТВОРЕНИЕ

Одно, словно кем-то встревоженный гром,
С дыханием жизни врывается в дом,
Смеется, у горла трепещет,
И кружится, и рукоплещет.

Другое, в полночной родясь тишине,
Не знаю откуда крадется ко мне,
Из зеркала смотрит пустого
И что-то бормочет сурово.

А есть и такие: средь белого дня,
Как будто почти что не видя меня,
Струятся по белой бумаге,
Как чистый источник в овраге.

А вот еще: тайное бродит вокруг —
Не звук и не цвет, не цвет и не звук, —
Гранится, меняется, вьется,
А в руки живым не дается.

Но это!.. по капельке выпило кровь,
Как в юности злая девчонка — любовь,
И, мне не сказавши ни слова,
Безмолвием сделалось снова.

И я не знавала жесточе беды.
Ушло, и его протянулись следы
К какому-то крайнему краю,
А я без него... умираю.

1959

* * *

Подумаешь, тоже работа —
Беспечное это житье:
Подслушать у музыки что-то
И выдать шутя за свое.

И чье-то веселое скерцо
В какие-то строки вложив,
Поклясться, что бедное сердце
Так стонет средь блещущих нив.

А после подслушать у леса,
У сосен, молчальниц на вид,
Пока дымовая завеса
Тумана повсюду стоит.

Налево беру и направо,
И даже, без чувства вины,
Немного у жизни лукавой,
И все — у ночной тишины.

1959

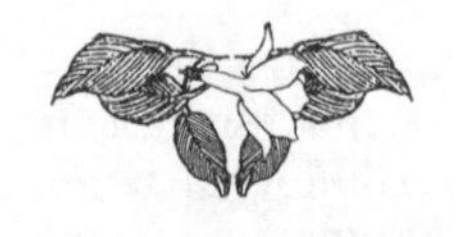

ЛЕТНИЙ САД

Я к розам хочу, в тот единственный сад,
Где лучшая в мире стоит из оград,

Где статуи помнят меня молодой,
А я их под невскою помню водой.

В душистой тиши между царственных лип
Мне мачт корабельных мерещится скрип.

И лебедь, как прежде, плывет сквозь века,
Любуясь красой своего двойника.

И замертво спят сотни тысяч шагов
Врагов и друзей, друзей и врагов.

А шествию теней не видно конца
От вазы гранитной до двери дворца.

Там шепчутся белые ночи мои
О чьей-то высокой и тайной любви.

И все перламутром и яшмой горит,
Но света источник таинственно скрыт.

1959

* * *

Другие уводят любимых, —
Я с завистью вслед не гляжу.
Одна на скамье подсудимых
Я скоро полвека сижу.
Вокруг пререканья и давка
И приторный запах чернил.
Такое придумывал Кафка
И Чарли изобразил.
И в тех пререканьях важных,
Как в цепких объятиях сна,
Все три поколенья присяжных
Решили: виновна она.
Меняются лица конвоя,
В инфаркте шестой прокурор...
А где-то темнеет от зноя
Огромный небесный простор,
И полное прелести лето
Гуляет на том берегу...
Я это блаженное «где-то»
Представить себе не могу.
Я глохну от зычных проклятий,
Я ватник сносила дотла.
Неужто я всех виноватей
На этой планете была?

1960

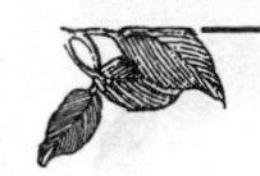

ПАМЯТИ БОРИСА ПАСТЕРНАКА

Как птица, мне ответит эхо.
Б.П.

1

Умолк вчера неповторимый голос,
И нас покинул собеседник рощ.
Он превратился в жизнь дающий колос
Или в тончайший, им воспетый дождь.
И все цветы, что только есть на свете,
Навстречу этой смерти расцвели.
Но сразу стало тихо на планете,
Носящей имя скромное... Земли.

1960

2

Словно дочка слепого Эдипа,
Муза к смерти провидца вела,
А одна сумасшедшая липа
В этом траурном мае цвела
Прямо против окна, где когда-то
Он поведал мне, что перед ним
Вьется путь золотой и крылатый,
Где он вышнею волей храним.

1960. 11 июня
Москва. Боткинская больница

ЦАРСКОСЕЛЬСКАЯ ОДА

ДЕВЯТИСОТЫЕ ГОДЫ

А в переулке забор дощатый...

Н.Г.

Настоящую оду
Нашептало... Постой,
Царскосельскую одурь
Прячу в ящик пустой,
В роковую шкатулку,
В кипарисный ларец,
А тому переулку
Наступает конец.
Здесь не Темник, не Шуя —
Город парков и зал,
Но тебя опишу я,
Как свой Витебск — Шагал.
Тут ходили по струнке,
Мчался рыжий рысак,
Тут еще до чугунки
Был знатнейший кабак.
Фонари на предметы
Лили матовый свет,
И придворной кареты
Промелькнул силуэт.
Так мне хочется, чтобы
Появиться могли

Голубые сугробы
С Петербургом вдали.
Здесь не древние клады,
А дощатый забор,
Интендантские склады
И извозчичий двор.
Шепелявя неловко
И с грехом пополам,
Молодая чертовка
Там гадает гостям.
Там солдатская шутка
Льется, желчь не тая...
Полосатая будка
И махорки струя.
Драли песнями глотку
И клялись попадьей,
Пили допоздна водку,
Заедали кутьей.
Ворон криком прославил
Этот призрачный мир...
А на розвальнях правил
Великан-кирасир.

1961

* * *

Так не зря мы вместе бедовали
Даже без надежды раз вздохнуть.
Присягнули — проголосовали
И спокойно продолжали путь.

Не за то, что чистой я осталась,
Словно перед Господом свеча,
Вместе с вами я в ногах валялась
У кровавой куклы палача.

Нет! и не под чуждым небосводом
И не под защитой чуждых крыл —
Я была тогда с моим народом,
Там, где мой народ, к несчастью, был.

1961

РОДНАЯ ЗЕМЛЯ

И в мире нет людей
бесслезней,
Надменнее и проще нас.
1922

В заветных ладанках не носим на груди,
О ней стихи навзрыд не сочиняем,
Наш горький сон она не бередит,
Не кажется обетованным раем.
Не делаем ее в душе своей
Предметом купли и продажи,
Хворая, бедствуя, немотствуя на ней,
О ней не вспоминаем даже.

Да, для нас это грязь на калошах,
Да, для нас это хруст на зубах.
И мы мелем, и месим, и крошим
Тот ни в чем не замешанный прах.
Но ложимся в нее и становимся ею,
Оттого и зовем так свободно — своею.

1961

* * *

Вот она, плодоносная осень!
Поздновато ее привели.
А пятнадцать блаженнейших весен
Я подняться не смела с земли.
Я так близко ее разглядела,
К ней припала, ее обняла,
А она в обреченное тело
Силу тайную тайно лила.

1961

* * *

О своем я уже не заплачу,
Но не видеть бы мне на земле
Золотое клеймо неудачи
На еще безмятежном челе.

1962

* * *

Против воли я твой, царица,
берег покинул.

«Энеида», песнь 6

Не пугайся, — я еще похожей
Нас теперь изобразить могу.
Призрак ты — иль человек прохожий,
Тень твою зачем-то берегу.

Был недолго ты моим Энеем, —
Я тогда отделалась костром.
Друг о друге мы молчать умеем.
И забыл ты мой проклятый дом.

Ты забыл те, в ужасе и в муке,
Сквозь огонь протянутые руки
И надежды окаянной весть.

Ты не знаешь, что́ тебе простили...
Создан Рим, плывут стада флотилий,
И победу славославит лесть.

1962

ПЕРВОЕ ПРЕДУПРЕЖДЕНИЕ

Какое нам, в сущности, дело,
Что все превращается в прах,
Над сколькими безднами пела
И в скольких жила зеркалах.
Пускай я не сон, не отрада
И меньше всего благодать,
Но, может быть, чаще, чем надо,
Придется тебе вспоминать —
И гул затихающих строчек,
И глаз, что скрывает на дне
Тот ржавый колючий веночек
В тревожной своей тишине.

1963

В ЗАЗЕРКАЛЬЕ

O quae beatam, Diva,
tenes Cyprum et Memphin...
Hor[*].

Красотка очень молода,
Но не из нашего столетья,
Вдвоем нам не бывать — та, третья,
Нас не оставит никогда.
Ты подвигаешь кресло ей,
Я щедро с ней делюсь цветами...
Что делаем — не знаем сами,
Но с каждым мигом нам страшней.
Как вышедшие из тюрьмы,
Мы что-то знаем друг о друге
Ужасное. Мы в адском круге,
А может, это и не мы.

1963

[*] О богиня, которая владычествует над счастливым островом Кипром и Мемфисом. *Гораций* (*лат.*).

* * *

А я иду, где ничего не надо,
Где самый милый спутник —
только тень,
И веет ветер из глухого сада,
А под ногой могильная ступень.

1964

СОДЕРЖАНИЕ

А ЮНОСТЬ БЫЛА КАК МОЛИТВА ВОСКРЕСНАЯ

ЗВЕНЕЛА МУЗЫКА В САДУ

И СТИХОВ МОИХ БЕЛАЯ СТАЯ

НЕ БЫВАТЬ ТЕБЕ В ЖИВЫХ

ДУШИ ВЫСОКАЯ СВОБОДА

РЕКВИЕМ

ПТИЦЫ СМЕРТИ СТОЯТ В ЗЕНИТЕ

О СВОЕМ Я УЖЕ НЕ ЗАПЛАЧУ

Литературно-художественное издание

Ахматова Анна Андреевна

ИЗБРАННОЕ

Ответственный редактор *В. Жукова*
Художественный редактор *А. Новиков*
Технический редактор *В. Бардышева*
Компьютерная верстка *В. Шибаев*

ООО «Издательство «Эксмо»
123308, Москва, ул. Зорге, д. 1. Тел. 8 (495) 411-68-86, 8 (495) 956-39-21.
Home page: **www.eksmo.ru** E-mail: **info@eksmo.ru**

Өндіруші: «ЭКСМО» АҚБ Баспасы, 123308, Мәскеу, Ресей, Зорге көшесі, 1 үй.
Тел. 8 (495) 411-68-86, 8 (495) 956-39-21
Home page: www.eksmo.ru E-mail: info@eksmo.ru.
Тауар белгісі: «Эксмо»
Қазақстан Республикасында дистрибьютор және өнім бойынша
арыз-талаптарды қабылдаушының
өкілі «РДЦ-Алматы» ЖШС, Алматы қ., Домбровский көш., 3«а», литер Б, офис 1.
Тел.: 8 (727) 2 51 59 89,90,91,92, факс: 8 (727) 251 58 12 вн. 107; E-mail: RDC-Almaty@eksmo.kz
Өнімнің жарамдылық мерзімі шектелмеген.
Сертификация туралы ақпарат сайтта: www.eksmo.ru/certification

Сведения о подтверждении соответствия издания согласно законодательству РФ о техническом регулировании можно получить по адресу: http://eksmo.ru/certification/

Өндірген мемлекет: Ресей

Сертификация қарастырылмаған

Подписано в печать 19.02.2015. Формат 70×100 1/32.
Гарнитура «Петербург». Печать офсетная. Усл. печ. л. 14,3.
Доп.тираж 3 000 экз. Заказ № 1406

Отпечатано с готовых файлов заказчика
в ОАО «Первая Образцовая типография»,
филиал «УЛЬЯНОВСКИЙ ДОМ ПЕЧАТИ»
432980, г. Ульяновск, ул. Гончарова, 14

ISBN 978-5-699-08589-7